DON
Quijote

PRÓLOGO

Miguel de Cervantes Saavedra, príncipe de las letras españolas, fue bautizado en Alcalá de Henares el día 9 de octubre de 1547, y murió en Madrid el día 23 de abril de 1616. Su padre era un modesto cirujano, a quien acompañó el futuro hombre de letras por los caminos de España. Su infancia viajera le sirvió, sin duda, para conocer gentes y paisajes que habían de serle de gran utilidad a la hora de plasmar su obra. Como soldado se cubrió de gloria en la batalla de Lepanto, en la que perdió la mano izquierda. De ahí el sobrenombre de Manco de Lepanto.

Su vida está plagada de aventuras y desventuras. En 1575 fue apresado por unos piratas moros. Sufrió cautiverio en Argel durante cinco largos años. Al fin consiguió la libertad y, de regreso a España, deambuló por Andalucía trabajando como recaudador de contribuciones y alcabalero.

La primera parte de El ingenioso hidalgo don Quijote de la Mancha apareció en Madrid en el año 1605, y la segunda parte se publicó diez años más tarde. Es una obra cumbre de la literatura universal.

Retrato del hidalgo
Don Quijote de la Mancha

EN UN LUGAR DE LA MANCHA, de cuyo nombre no quiero acordarme, vivía no hace mucho tiempo un hidalgo de los de lanza en astillero, adarga antigua, rocín flaco y galgo corredor.

Consumían las tres cuartas partes de su hacienda una olla de algo más vaca que carnero, salpicón la mayoría de las noches, duelos y quebrantos los sábados, lentejas los viernes y algún palomino de añadidura los domingos.

Se acercaba la edad de nuestro hidalgo a los cincuenta años. Era de complexión recia, aunque seco de carnes, enjuto de rostro, madrugador y amigo de la caza.

Este hidalgo, los ratos que estaba ocioso (que eran los más del año), los empleaba en leer libros de caballerías con tanta afición y gusto, que olvidó el ejercicio de la caza y aun la administración de su hacienda. Se enfrascó tanto en la lectura, que se le pasaban las noches leyendo de claro en claro, y los días de turbio en turbio; y así del poco dormir y del mucho leer se le secó el cerebro de manera que perdió el juicio.

Rematado ya su juicio, le pareció conveniente y necesario, para aumentar su honra, hacerse caballero andante, e irse por el mundo con sus armas y caballo a buscar las aventuras; deshaciendo y solucionando todo género de agravios.

Lo primero que hizo fue limpiar unas armas que habían sido de sus bisabuelos, que llenas de orín y moho, largos siglos hacía que estaban olvidadas en un rincón. Fue luego a ver su rocín, y aunque éste era solamente piel y huesos, le pareció que ni el Bucéfalo de Alejandro ni Babieca el del Cid con él se igualaban. Cuatro días se pasó imaginando qué nombre le pondría. Al fin lo llamó Rocinante.

Puesto el nombre, tan a su gusto a su caballo, quiso ponérselo a sí mismo. Estuvo pensando esto ocho días y al cabo se llamó don Quijote de la Mancha, con el que, a su parecer, indicaba muy bien su linaje y patria.

Limpias, pues, sus armas; puesto el nombre a su rocín y confirmándose a sí mismo, sólo le faltaba buscar una dama de quien enamorarse, porque un caballero andante sin amores era como un árbol sin hojas y sin fruto, y cuerpo sin alma.

En un pueblo cercano había una moza labradora de muy buen parecer, de quien él anduvo un tiempo enamorado, aunque como se entiende, ella jamás lo supo ni se dio cuenta de ello. Se llamaba Aldonza Lorenzo. Trató de buscarle un nombre que no desdijese mucho del suyo y que sonara a princesa y gran señora. Acabó por llamarla Dulcinea del Toboso, nombre, a su parecer, musical y significativo, como todos los demás que a él y a sus cosas había puesto.

Cómo se armó caballero Don Quijote

SIN CONTAR A NADIE sus intenciones y sin que ninguno le viese, una mañana, antes de amanecer, se puso todas sus armas, subió sobre Rocinante y, con gran alegría y alborozo, dio comienzo a su aventura. Pero, apenas llegó al campo, le asaltó un pensamiento terrible: no estaba armado caballero, y según la ley de caballería, ni podía ni debía tomar armas contra ningún caballero. Estos pensamientos le hicieron dudar sobre su propósito; y, pudiendo más su locura, decidió hacerse armar caballero por el primero que encontrase.

Anduvo durante todo el día y, al anochecer, su rocín y él estaban cansados y muertos de hambre. Mirando a todas partes por ver si descubría algún castillo o alguna majada de pastores donde recogerse y calmar su hambre, vio, no lejos del camino, una posada. Caminó con prisa y llegó a ella cuando anochecía. La posada le pareció un castillo con sus cuatro torres, con puente levadizo y hondo foso.

Allí vio a dos mozas, que a él le parecieron dos hermosas damas que delante del castillo se estaban solazando.

Las damas, al ver venir un hombre armado de esa extraña forma, llenas de miedo iban a entrar en la venta; pero don Quijote, adivinando por su huida su miedo, se alzó la visera y les dijo:

—No huyan vuestras mercedes, ni teman desaguisado alguno, que la orden de caballería que profeso no hace daño a nadie, y menos a tan altas damas.

Las muchachas, al oírse llamar damas, no pudieron contener la risa. En este preciso momento salió el ventero y fue a sujetar el estribo a don Quijote, el cual se apeó con mucha dificultad y trabajo, puesto que en todo el día no había probado bocado.

—Si vuestra merced, además de lecho, que en esta venta no hay ninguno, busca posada —dijo el dueño de la venta—, todo lo demás lo hallará en abundancia.

Viendo don Quijote la humildad del alcaide de la fortaleza, que eso le pareció a él el ventero y la venta, respondió:

—Para mí, señor castellano, cualquiera cosa basta, que mis arreos son las armas y mi descanso el pelear.

Dijo luego al ventero que le cuidase mucho de su caballo, porque era la mejor pieza que comía pan en el mundo. El ventero lo miró y no le pareció tan bueno como don Quijote decía, ni aun la mitad, pero lo acomodó en la caballeriza y volvió a ver lo que su huésped mandaba.

Las mozas estaban desarmando a don Quijote, aunque no pudieron desencajarle la gola ni quitarle la contrahecha celada, que traía atada con unas cintas verdes, y era necesario cortarlas, porque no se podían desatar los nudos. Él no quiso consentirlo de ninguna manera, y así se quedó toda la noche con la celada puesta.

Luego le preguntaron las jóvenes si quería comer.

—Cualquier cosa comería yo —respondió don Quijote—, porque creo que me haría mucho bien.

Le pusieron la mesa a la puerta de la posada, donde hacía más fresco, y trajo el ventero una porción de mal remojado y peor cocido bacalao y un pan tan negro como sus armas. Causaba mucha risa verle comer, porque, como tenía puesta la celada y alzada la visera, no podía poner nada en la boca con sus manos si otro no se lo daba y se lo ponía. Una de las mozas le servía y no hubiera sido posible darle de beber si el posadero no le horada una caña y le pone un cabo en la boca y por el otro le va echando vino. Don Quijote lo soportaba todo con paciencia, para no romper las cintas de la celada.

Pero lo que más le preocupaba era el no estar armado caballero. Y así, acabada la cena, llamó al ventero y lo llevó a la caballeriza, donde se hincó de rodillas ante él, diciéndole:

—¡No me levantaré jamás de donde estoy, valeroso caballero, hasta que vuestra merced me otorgue un don que pedirle quiero!

El ventero, al ver al huésped a sus pies, estaba confuso mirándole, sin saber qué decir ni qué hacer. Porfiaba con él para que se levantase, hasta que tuvo que decirle que le daba el don que pedía.

—No esperaba yo menos de vuestra grandeza, mi señor—respondió don Quijote—; y así os digo que el don que os he pedido es que mañana me arméis caballero. Esta noche, en la capilla de este castillo, estaré velando las armas.

El posadero, que ya había empezado a barruntar la falta de juicio de su huésped, acabó de confirmarlo cuando oyó semejantes razones, y por tener un motivo para reír aquella noche, determinó seguirle el humor. Le dijo que aunque su castillo no tenía capilla donde velar las armas, podía

hacerlo en el patio y que a la mañana siguiente harían las debidas ceremonias.

Recogió don Quijote sus armas y las puso sobre una pila junto a un pozo. Luego, tomando en un brazo la adarga y en el otro su lanza, comenzó a pasearse delante de la pila durante la noche.

En esto se le antojó a uno de los arrieros alojados en la venta ir a dar agua a sus animales. Quitó las armas de don Quijote, que estaban sobre la pila; ante lo cual éste dijo:

—¡Eh, tú, quienquiera que seas, atrevido caballero, que llegas a tocar las armas del más valeroso caballero andante que jamás se ciñó espada! ¡Mira lo que haces y no las toques, si no quieres dejar la vida en pago de tu atrevimiento!

El arriero no hizo caso de estas razones y cogiendo las armas las arrojó hacia un lado. Viendo esto don Quijote, alzó los ojos al cielo y, puesto su pensamiento en su Dulcinea, dijo:

—¡Socorredme, señora mía, en esta primera afrenta que a este vuestro avasallado pecho se le hace!

Soltando la adarga, alzó la lanza con las dos manos y dio con ella un golpe tan fuerte en la cabeza del arriero, que le derribó al suelo, maltrecho. Hecho esto, recogió sus armas y volvió a pasearse con el mismo reposo del principio.

Al poco tiempo, sin saber lo que había pasado, llegó otro arriero con la intención de dar agua a sus mulos. Quitó las armas para despejar la pila; y don Quijote, sin decir palabra, soltó otra vez la adarga y alzando la lanza, se la descargó sobre su cabeza.

Al ruido acudió la gente de la venta, y los compañeros de los heridos comenzaron a arrojar piedras a don Quijote, de las cuales se defendía con su adarga.

El posadero les gritaba diciendo que lo dejaran porque estaba loco. Don Quijote gritaba más fuerte aún llamándolos traidores, y decía que el señor del castillo era un mal nacido caballero, ya que consentía que de esta manera se tratase a un caballero andante.

Los arrieros dejaron de tirar piedras y don Quijote dejó retirar a los heridos, y reanudó la vela de sus armas con la misma quietud con la que había empezado.

El posadero determinó abreviar trámites con don Quijote. Le dijo que para armarlo caballero bastaba darle un pescozón y un espaldarazo, y aquello se podía hacer en el campo.

Trajo el ventero un libro donde anotaba sus cuentas. Un muchacho traía un cabo de vela, en tanto las dos doncellas se acercaban. Luego el ventero le ordenó a don Quijote que se hincase de rodillas. Él leyó en el libro (como que decía alguna devota oración), y en mitad de la lectura levantó la mano y le dio sobre el cuello un buen golpe, y tras él, con su misma espada, un gentil espaldarazo, siempre murmurando entre dientes, como que rezaba. Hecho esto, le ordenó a una de las jóvenes que le ciñese la espada, y lo hizo con mucha desenvoltura mientras la otra le calzaba la espuela.

Hechas con prisa las hasta allí nunca vistas ceremonias, no vio la hora don Quijote de verse a caballo y salir buscando aventuras. Ensilló a Rocinante y subió en él. Abrazó al posadero, diciéndole cosas muy extrañas que no es posible acertar a referirlas, y le dio las gracias por haberle armado caballero.

El ventero, con ganas de verle ya fuera de la venta, le contestó con breves palabras y, sin pedirle el pago del alojamiento, le dejó ir.

Aventura al salir
de la venta

LA DEL ALBA SERÍA cuando don Quijote salió de la VENTA, tan alborozado por verse ya armado caballero, que el gozo le reventaba por las cinchas del caballo. No había avanzado mucho, cuando le pareció que de la espesura del bosque salían unos quejidos.

—Gracias doy al cielo —dijo don Quijote— por el favor que me hace. Estas voces, sin duda, son de algún menesteroso que necesita mi favor y ayuda.

Al poco de entrar en el bosque, vio atada una yegua a un árbol; y atado en otro a un muchacho, desnudo de medio cuerpo arriba, de unos quince años, que era el que daba las voces, porque un labrador lo estaba azotando con una correa. Don Quijote, viendo lo que pasaba, con voz airada dijo:

—¡Descortés caballero! ¡Mal parece vengarse con quien no puede defenderse! ¡Tomad vuestra lanza, que os haré ver que es de cobardes lo que estáis haciendo!

El labrador, que vio sobre sí aquella extraña figura llena de armas, se dio por muerto, y con buenas palabras contestó:

—Señor caballero, este muchacho que estoy castigando es mi criado, que me sirve cuidando una manada de ovejas. Es tan descuidado, que cada día me falta una. Y porque castigo su descuido, y no le pago lo que le debo, me trata de miserable. Y Dios y mi alma saben que está mintiendo.

—¿«Mintiendo» os atrevéis a decir delante de mí, ruin villano? —dijo don Quijote—. Por el sol que nos alumbra que estoy por pasaros de parte a parte con esta lanza. Pagadle, sin más réplica. ¡Desatadlo!

El labrador, sin responder palabra, desató a su criado, al cual preguntó don Quijote cuánto le debía su amo. Él dijo que nueve meses, a siete reales cada mes. Hizo la cuenta don Quijote, y halló que sumaban sesenta y tres reales, y díjole al labrador que inmediatamente se los pagase si no quería morir por ello. Contestó el medroso villano que no eran tantos, porque se le habían de descontar tres pares de zapatos que le había dado y un real de dos sangrías que le hizo aplicar cuando estuvo enfermo.

—Bien está todo eso —contestó don Quijote—; pero se queden los zapatos y las sangrías por los azotes que sin culpa le habéis dado; que si él rompió el cuero de los zapatos que vos pagasteis, vos le habéis roto el de su cuerpo; y si le sacó sangre el barbero estando enfermo, vos en salud se la habéis sacado: así que, por esta parte, no os debe nada.

—El caso, señor caballero, es que no tengo aquí dineros: véngase Andrés a mi casa, que yo se los pagaré.

—¿Irme yo con él? —dijo el joven—. ¡No señor, ni pensarlo, en cuanto me vea solo, me desollará!

—¡No hará tal! —contestó don Quijote—: basta que yo se lo mande para que cumpla.

—Hermano Andrés —dijo el labrador—, venid conmigo, que yo juro por todas las órdenes de caballería pagaros real por real.

—Con eso me contento —dijo don Quijote—, y cuidad de cumplir lo jurado; si no, volveré a castigaros, y os hallaré aunque os escondáis como una lagartija. Y si queréis saber quién os manda esto, sabed que soy el valeroso don Quijote de la Mancha, deshacedor de agravios y sinrazones.

Picó a Rocinante y en breve tiempo se alejó de ellos. El labriego lo siguió con los ojos, y cuando le vio lejos, volvió donde estaba su criado y le dijo:

—Ven acá, hijo mío, que te quiero pagar lo que te debo como aquel me lo ha ordenado.

Y tomándolo del brazo lo volvió a atar al árbol, donde le dio tantos azotes, que lo dejó por muerto.

—Llama ahora al deshacedor de agravios y verás cómo no deshace éste.

Pero, al fin, lo desató y le dio permiso para que fuese a buscar a su juez, para que ejecutase la sentencia pronunciada.

Andrés partió algo mohíno, jurando que buscaría a don Quijote y le contaría lo que había pasado. Él se partió llorando y su amo se quedó riendo.

En esto llegó don Quijote ante un grupo de mercaderes que iban a comprar seda. Eran seis y venían con cuatro criados a caballo y tres mozos de mulas a pie. Apenas los divisó don Quijote, se imaginó que tendría nueva aventura. Y así, con buen porte, se afirmó bien en los estribos, apretó la lanza, llevó la adarga al pecho y, puesto en la mitad del camino, esperó a que llegasen. Levantó la voz y con ademán arrogante les dijo:

—¡Todo el mundo se detenga si no confiesa que no hay en el mundo doncella más hermosa que la emperatriz de la Mancha, la sin par Dulcinea del Toboso!

Se detuvieron los mercaderes al ver la extraña figura del que así les hablaba. Uno de ellos, que era un poco burlón, le dijo:

—Señor caballero: nosotros no conocemos quién sea esa buena señora. Mostradnos su retrato, aunque sea tan pequeño como un grano de trigo, que por el hilo se sacará el ovillo. Y aunque su retrato nos diga que es tuerta, por complacer a vuestra merced, diremos en su favor lo que quiera.

—¡Canalla infame! No es tuerta ni encorvada, sino más derecha que un huso de Guadarrama. Pero ¡pagaréis la blasfemia dicha contra una gran belleza!

Y diciendo esto, arremetió con la lanza baja contra el burlón con tanta furia, que si en la mitad del camino no tropieza y cae Rocinante, mal lo hubiera pasado el atrevido mercader. Cayó el caballo y su amo rodó por el campo y, queriéndose levantar, nunca pudo. Mientras trataba de incorporarse, desde el suelo gritaba:

—¡No huyáis, gente cobarde! ¡Mirad que no por culpa mía, sino de mi caballo, estoy aquí tendido!

Un mozo de mulas, después de hacer pedazos la lanza, con uno de ellos le dio tantos golpes a don Quijote en las costillas, que lo dejó molido como trigo. Sus amos le gritaban que lo dejase; pero como el mozo estaba ya picado, no quiso dejar el juego hasta calmar toda su cólera, y tomando los demás trozos de la lanza, los acabó de deshacer sobre el caído, que a pesar de toda aquella tempestad de palos que le caía, no cerraba la boca, amenazando al cielo y a la tierra, y a aquellos perversos.

Se cansó el mozo y los mercaderes siguieron su camino, teniendo algo que contar del pobre apaleado.

Cuando se vio libre don Quijote, probó de nuevo si podía levantarse; pero si no lo pudo hacer cuando estaba sano y bueno, ¿cómo lo haría molido y casi deshecho?

En esto pasó casualmente por allí un labrador vecino suyo, el cual, viéndolo tendido, se acercó a él e intentó levantarlo.

—¡Señor Quijano! —exclamó el labriego—, ¿quién lo ha tratado de esta manera?

No con poco trabajo lo subió sobre su jumento, por parecerle caballería más sosegada. Recogió las armas, hasta las astillas de la lanza, y las lió sobre Rocinante, al cual tomó de la rienda, y del cabestro al

29

asno, y se encaminó hacia el pueblo. Iba pensativo después de haber oído los disparates de don Quijote. No menos iba éste que, de puro molido y quebrado, no se podía tener sobre el borrico. De cuando en cuando daba unos suspiros que llegaban al cielo.

Estaban en el pueblo al anochecer, pero el labrador esperó a que fuese algo más de noche, para que no viesen al molido hidalgo tan mal caballero. Llegada la hora conveniente, entró en el pueblo, y en la casa de don Quijote halló al cura y al barbero del lugar, que eran grandes amigos de don Quijote.

Fueron todos a abrazar a don Quijote, pero éste dijo:

—¡Quietos todos! Vengo mal herido por culpa de mi caballo. Llévenme a mi cama y llámese a la sabia Urganda, para que me cure las heridas.

Lo llevaron a la cama y, buscándole las heridas, no le hallaron ninguna. Él dijo que había tenido una gran caída con Rocinante combatiendo con diez gigantes, los más atrevidos del mundo.

LOS MOLINOS DE VIENTO

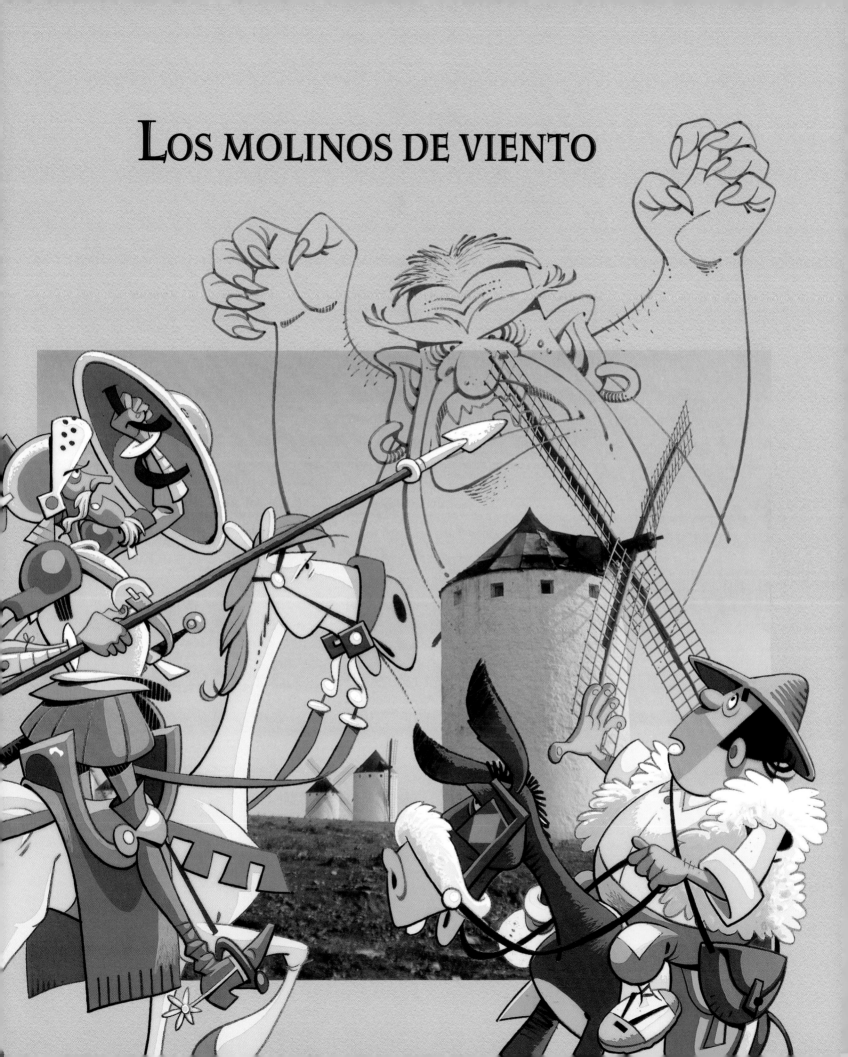

DON QUIJOTE estuvo quince días en casa muy sosegado, pensando en sus cosas, pero sin dar muestras de querer repetir sus primeros desvaríos. En ese tiempo habló con un vecino suyo, labrador, hombre de bien, pero de muy poca sal en la mollera. Tanto le dijo, persuadió y prometió, que lo convenció, y el pobre villano tomó la determinación de servirle como escudero.

Entre otras cosas le decía don Quijote que se dispusiese a ir con él de buena gana, porque tal vez le podría suceder alguna aventura con la que ganase, en un quítame allá esas pajas, alguna ínsula donde le dejasen a él ser gobernador. Con esta promesa y otras, Sancho Panza, que así se llamaba el labrador, dejó a su mujer e hijos y se convirtió en escudero de su vecino.

Don Quijote se puso a buscar dinero y vendiendo una cosa y empeñando otra, y malbaratándolas todas, reunió una razonable cantidad. Luego avisó a Sancho Panza el día y hora que pensaba ponerse en camino, para que él llevase lo que viera necesario; sobre todo le recomendó que llevase alforjas. Él dijo que sí y que asimismo pensaba llevar un asno que tenía muy bueno, que él no estaba acostumbrado a andar mucho a pie.

Sin despedirse Sancho Panza de su mujer e hijos, ni don Quijote de su ama y sobrina, una noche se salieron del pueblo sin que nadie los viese; en la cual caminaron tanto, que al amanecer se tuvieron por seguros de que no los hallarían aunque los buscasen.

Iban conversando don Quijote y Sancho, cuando vieron treinta o cuarenta molinos de viento que había en aquel campo. Así como don Quijote los vio, dijo a su escudero:

—La suerte va guiando nuestros pasos. ¿Ves allí, amigo Sancho Panza, treinta, o pocos, más desaforados gigantes, con quienes pienso hacer batalla y quitarles a todos las vidas?

—¿Qué gigantes? —dijo Sancho.

—Aquellos que allí ves —respondió su amo—. Algunos tienen los brazos largos, de casi dos leguas.

—Mire vuesa merced —observó Sancho— que aquellos que allí se ven no son gigantes, sino molinos de viento, y lo que en ellos parecen brazos son las aspas que, movidas por el viento, hacen andar la piedra del molino.

—Bien se ve que no entiendes de aventuras. Ellos son gigantes, y si tienes miedo, quítate de ahí y ponte en oración mientras yo entro con ellos en desigual batalla.

Y diciendo
esto, dio de espuelas a
Rocinante, sin atender a las
voces que su escudero le daba. Pero
tan convencido estaba don Quijote de que
eran gigantes, que no era capaz de ver lo que
eran aunque estaba ya bien cerca. Antes bien iba diciendo
en voz alta:

—¡No huyáis, cobardes y viles criaturas; que un solo caballero es el que
os acomete!

Se levantó en esto un poco de viento, y las grandes aspas comenzaron a
moverse, lo cual visto por don Quijote, dijo:

—Pues aunque mováis más brazos que los del gigante Briareo, me lo
habéis de pagar.

Y diciendo esto, y encomendándose de todo corazón a su señora Dulcinea,
pidiéndole que en tal trance le socorriese, bien cubierto de su rodela, con la lanza
en ristre, arremetió a todo galope y embistió al primer molino que estaba delante; y

dándole una lanzada en el aspa, la movió el viento con tal furia, que hizo pedazos la lanza, llevándose tras sí al caballo y al caballero, y fue rodando maltrecho por el campo. Sancho acudió a socorrerle, corriendo todo lo que podía su asno, y cuando llegó, su amo no podía moverse.

—¡Válgame Dios! —dijo Sancho—. ¿No le dije yo a vuesa merced que mirase bien lo que hacía, que no eran sino molinos de viento, y no lo podía ignorar sino quien llevase otros iguales en la cabeza?

—Calla, amigo Sancho —respondió don Quijote—; que las cosas de la guerra, más que otras, están sujetas a continua mudanza. Y cuanto más lo pienso más seguro estoy de que ha sido el sabio Frestón quien ha convertido estos gigantes en molinos, por quitarme la gloria de que los venciera. Pero poco podrán sus malas artes contra la bondad de mi espada.

Y ayudado por Sancho, volvió a montar en Rocinante.

Aquella noche la pasaron entre unos árboles, y de uno de ellos desgajó don Quijote una rama seca que casi le podía servir de lanza, y puso en ella el hierro que quitó de la que se le había roto.

En toda la noche no durmió don Quijote, pensando en su señora Dulcinea. No fue lo mismo para Sancho, que como tenía el estómago lleno, de un tirón se la pasó toda.

La rica ganancia del yelmo de Mambrino

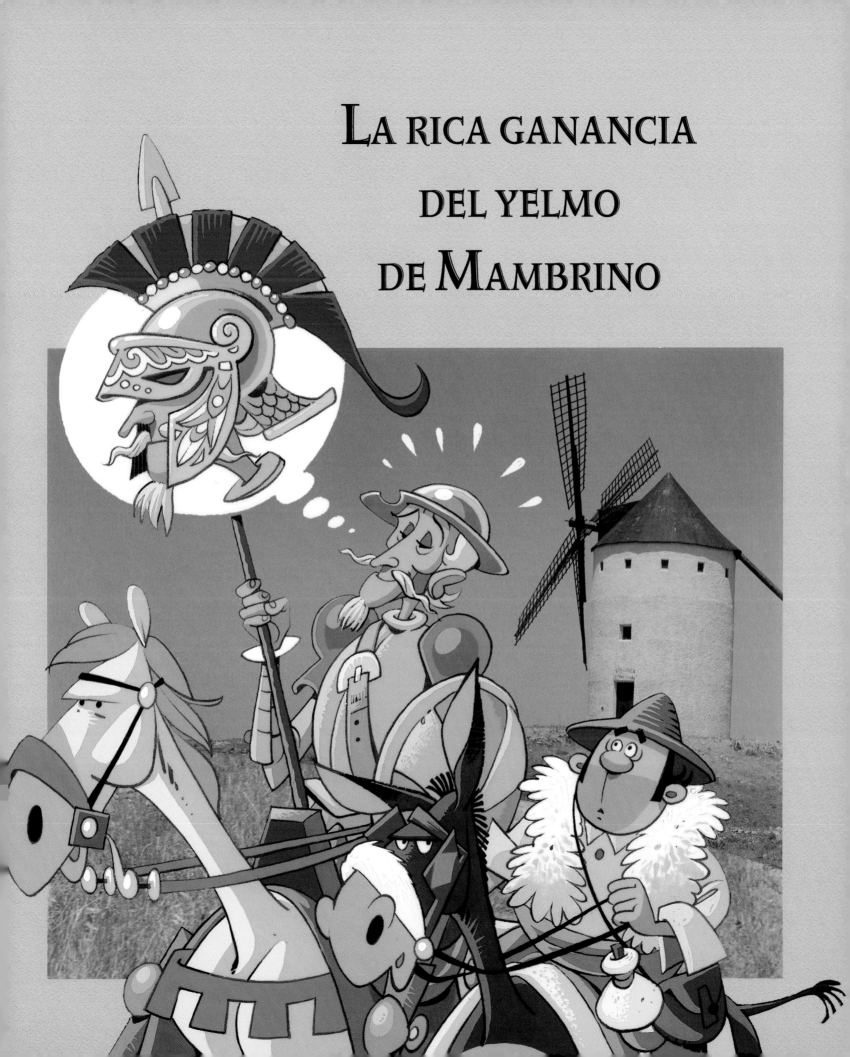

DE ALLÍ A POCO, descubrió don Quijote un hombre a caballo, que traía en la cabeza una cosa que relumbraba como si fuera de oro. Apenas lo hubo visto se volvió a Sancho y le dijo:

—Sancho: si no me engaño, viene hacia nosotros uno que trae puesto en su cabeza el yelmo de Mambrino, sobre el que yo hice el juramento que sabes.

—No sé nada —respondió Sancho—; pero me parece que vuesa merced se engaña en lo que dice.

—¿Cómo me puedo engañar en lo que digo, traidor escrupuloso? —dijo don Quijote—. Dime, ¿no ves aquel caballero que hacia nosotros viene sobre un caballo, que trae puesto en la cabeza un yelmo de oro?

—Lo que veo —dijo Sancho— no es sino un hombre sobre un asno, pardo como el mío, que trae sobre la cabeza una cosa que relumbra.

—Pues ése es el yelmo de Mambrino —dijo don Quijote—. Apártate a un lado y déjame con él a solas; verás que sin hablar palabra concluyo esta aventura, y queda para mí el yelmo que tanto he deseado.

Lo cierto era que el yelmo, el caballo y el caballero que don Quijote veía era esto: un barbero, quien, como comenzó a llover, se puso sobre la cabeza el recipiente que él utilizaba para arreglar la barba, que es una bacía; y como estaba limpia, desde lejos relumbraba. Venía sobre un asno pardo y todo esto a don Quijote le pareció caballo, caballero y yelmo de oro.

Cuando el barbero estaba cerca, sin mediar palabra, a todo correr de Rocinante le enristró con la lanza baja, llevando intención de pasarle de parte a parte. Cuando a él llegaba, sin detener la furia de su carrera, le dijo:

—¡Defiéndete, cautiva criatura, o entrégame, de tu voluntad, lo que con tanta razón se me debe!

El barbero, al ver venir sobre sí aquel fantasma, se bajó del asno, y más ligero que un gamo, echó a correr por aquel campo, más veloz que el viento.

Dejó la bacía en el suelo, la cual, a una orden de don Quijote, fue recogida por Sancho. Y entregándosela a su amo, se la puso éste en la cabeza, dándole vueltas de una parte a otra, tratando de encajársela; y como no podía, dijo don Quijote:

—Sin duda que el pagano a cuya medida se forjó primero esta famosa celada, debía de tener grandísima cabeza; y lo peor de ello es que le falta la mitad.

Cuando Sancho oyó llamar a la bacía celada, no pudo contener la risa que le daba.

—¿De qué te ríes, Sancho? —dijo don Quijote.

—Me río —respondió él— de pensar la gran cabeza que tenía el pagano dueño de este yelmo, que no semeja sino una bacía de barbero.

—¿Sabes qué imagino, Sancho? Que este encantado yelmo debió venir a manos de quien no supo conocer su valor y, sin saber lo que hacía, viéndolo de oro purísimo, debió de fundir la mitad para aprovecharse del precio, y de la otra mitad hizo ésta que parece una bacía de barbero, como tú dices.

Luego montaron y sin tomar determinado camino, por ser muy de caballeros andantes el no tomar ninguno cierto, se pusieron a caminar por donde la voluntad de Rocinante quiso, que se llevaba tras sí la de su amo, y aun la del asno, que siempre le seguía por dondequiera que guiaba, en buen amor y compañía.

42

DON QUIJOTE DA LIBERTAD
A MUCHOS PRESOS

DON QUIJOTE alzó los ojos y vio que por el camino que llevaba venían varios hombres a pie, rodeados con una gran cadena de hierro por los cuellos, y todos con esposas en las manos.

Venían con ellos dos hombres a caballo y uno a pie; los de a caballo, con escopetas, y el de a pie, con dardos y espadas.

Cuando Sancho los vio, dijo:

—Esta es cadena de galeotes, gente forzada del rey, que va a las galeras.

—¿Cómo gente forzada? —dijo don Quijote—. ¿Es posible que el rey haga fuerza a gente alguna?

—No digo eso —respondió Sancho—, sino que es gente que por sus delitos va condenada a servir al rey en las galeras, por la fuerza.

—Como quiera que sea —contestó don Quijote—, esta gente va por la fuerza y no de su voluntad.

—Advierta vuesa merced —dijo Sancho— que la justicia, que es el mismo rey, no hace agravios a semejante gente, sino que los castiga por sus delitos.

Llegó en esto la cadena de los galeotes, y don Quijote, muy cortés, preguntó a los guardias de a caballo por qué llevaban a aquella gente de aquella manera. Uno de ellos respondió que eran galeotes que iban a galeras, y que no había más que decir, ni él tenía más que saber.

Tras todos éstos venía un hombre de muy buen parecido, atado de forma diferente a los demás, porque traía una cadena al pie, tan grande que se la liaba por todo el cuerpo, y dos argollas en el cuello.

Don Quijote preguntó por qué iba aquel hombre cargado con tantas cadenas. El guardia respondió: porque tenía aquél solo más delitos que todos los otros juntos, y que era tan atrevido y tan bellaco, que aunque le llevasen de esa manera, no iban seguros de él.

—Es el famoso Ginés de Pasamonte, que por otro nombre llaman Ginesillo de Parapilla.

—Señor comisario —dijo el galeote—, Ginés me llamo y no Ginesillo, y Pasamonte es mi apellido y no Parapilla, como vuesa merced dijo.

Volviéndose don Quijote a los de la cadena, dijo:

—Quiero rogar a estos señores guardianes y comisario se sirvan desataros y dejaros ir en paz.

—¡Buena majadería! —respondió el comisario—. ¡Quiere que soltemos a los forzados del rey, como si tuviéramos autoridad para soltarlos, o él para ordenarla! Siga vuestra merced su camino adelante, y enderécese ese bacín que lleva sobre la cabeza, y no ande buscando tres pies al gato.

—¡Vos sois el gato, y el rato, y el bellaco! —respondió don Quijote.

Y diciendo y haciendo, arremetió contra él tan presto, que lo arrojó al suelo malherido de una lanzada. Los demás guardias se quedaron atónitos y suspensos; pero reaccionaron y pusieron mano a sus espadas los de a caballo, y los de a pie a sus dardos, y atacaron a don Quijote, que con mucha serenidad los aguardaba.

Los presos, aprovechando la ocasión que se les ofrecía para alcanzar la libertad, rompieron las cadenas en las que estaban ensartados. Sancho ayudó, por su parte, a soltar a Ginés de Pasamonte que, al verse libre, atacó al comisario caído y le quitó la espada y la escopeta. No quedó guardia en el campo, porque huyeron de la escopeta de Pasamonte y de las muchas piedras que los ya sueltos galeotes les tiraban.

Y llamando don Quijote a todos los galeotes, que andaban alborotados y habían quitado las ropas al comisario hasta dejarle en cueros, se le pusieron todos a sus órdenes.

Don Quijote les dijo:

—De gente bien nacida es agradecer los beneficios que reciben, y uno de los pecados que a Dios más ofende es la ingratitud. En pago del beneficio que de mí habéis recibido, es mi voluntad que, cargados de esa cadena que quité de vuestros cuellos, os pongáis en camino de la ciudad del Toboso, y allí os presentéis ante la señora Dulcinea y le digáis que su caballero, el de la Triste Figura os envía, y le contéis punto por punto todo lo sucedido. Hecho esto podréis ir donde quisiereis.

Respondió por todos Ginés de Pasamonte.

—Lo que vuestra merced nos manda es imposible cumplirlo, porque no podemos ir por el camino juntos, sino solos y divididos, para no ser hallados por la justicia, que sin duda ha de salir en nuestra busca. ¡Pensar que hemos de volver a tomar la cadena, y a ponernos en camino del Toboso, es como pedir peras al olmo!

—Pues voto a tal —dijo don Quijote, que ya se había encolerizado—, Ginesillo de Paropilla, o como os llaméis, que habéis de ir solo, rabo entre piernas, con toda la cadena a cuestas!

Ginés de Pasamonte, viendo que don Quijote no era muy cuerdo, guiñó un ojo a los demás, y comenzaron a lanzar tantas piedras sobre él, que no le daba tiempo a cubrirse con la rodela. Sancho se puso tras de su asno, y con él se defendía de la nube de piedras que sobre ambos llovía.

49

Una de las piedras hizo caer al suelo a don Quijote, y apenas cayó, se le fue encima uno, y le quitó la bacía de la cabeza, y diole con ella cuatro golpes en las espaldas y otros tantos en la tierra, con los que la hizo casi pedazos. Le quitaron ropa, y a Sancho lo dejaron en calzones.

Finalmente, cada uno se fue por su cuenta, con más cuidado de huir de la justicia que de cargar la cadena e ir a presentarse ante la señora Dulcinea del Toboso.

Quedaron solos jumento y Rocinante, Sancho y don Quijote. El asno, cabizbajo y pensativo, sacudiendo de cuando en cuando las orejas, pensando que le seguirían lloviendo piedras; Rocinante, tendido junto a su amo, que también vino al suelo de una pedrada; Sancho, medio desnudo, y temeroso de la justicia; don Quijote, tristísimo de verse tan mal parado por los mismos a quienes tanto bien había hecho.

50

DON QUIJOTE LUCHA CON UNOS ODRES DE VINO

ENSILLARON DON QUIJOTE Y SANCHO y, sin que les sucediera cosa digna de contar, llegaron otro día a una venta, donde estaban el cura y el barbero de su pueblo.

Los venteros y su hija salieron a recibir a los aventureros con muestras de mucha alegría. Don Quijote les dijo que le preparasen un buen lecho, a lo cual respondió la ventera que si le pagaba bien, ella le prepararía una cama de príncipes. Don Quijote dijo que sí pagaría, y una vez listo el lecho, él se acostó, porque venía muy quebrantado y falto de juicio.

Del cuarto donde reposaba don Quijote salió un rato después Sancho todo alborotado, diciendo a voces:

—¡Acudid, señores, presto y socorred a mi señor, que anda envuelto en la más descomunal batalla que mis ojos han visto! ¡Vive Dios que ha dado una cuchillada al gigante enemigo y le ha partido la cabeza como si fuera un nabo!

—¿Qué decís, hermano? —dijo el cura—. ¿Estáis en vuestro juicio, Sancho?

En esto oyeron un gran ruido en el aposento, y que don Quijote decía a voces:

—¡Tente, ladrón, malandrín; que te tengo y no te ha de servir tu sable!

Y parecía que daba grandes cuchilladas a las paredes. Sancho dijo:

—No tienen que pararse a escuchar, sino entren a contener la pelea, o a ayudar a mi amo; aunque no será necesario, porque yo vi correr la sangre por el suelo, y la cabeza del gigante cortada y caída a un lado, que es grande como un gran cuero de vino.

—¡Que me maten —dijo el ventero— si don Quijote no ha dado alguna cuchillada a uno de mis cueros de vino tinto que estaban llenos a su cabecera, y el vino derramado será lo que le parece sangre a este hombre!

Y con esto entró en el aposento seguido de todos, y hallaron a don Quijote con el más extraño traje del mundo. Estaba en camisón; sus piernas eran muy largas y flacas, llenas de vello y nada limpias. Tenía en la cabeza un gorro de dormir grasiento. En la mano izquierda tenía envuelta la manta de la cama; y en la derecha, desenvainada la espada, con la cual daba cuchilladas a todas partes, diciendo palabras como si verdaderamente estuviera peleando con algún gigante.

Lo curioso es que tenía los ojos cerrados porque estaba durmiendo y soñando que batallaba con el gigante. Y había dado tantas cuchilladas en los cueros, que todo el aposento estaba lleno de vino.

Lo cual visto por el ventero, lo enojó tanto, que arremetió contra don Quijote, y a puño cerrado le dio tantos golpes, que si el cura no se lo quita, acabara con él. Con todo, no despertaba el pobre caballero hasta que el barbero trajo un gran caldero de agua fría y se la echó encima, con lo cual despertó don Quijote. Todos reían, menos el ventero, que perjuraba contra Satanás; pero, en fin, tanto hicieron el cura y el barbero que, con no poco trabajo, echaron a don Quijote en la cama, el cual se quedó dormido, con muestras de grandísimo cansancio. Le dejaron dormir, y salieron a consolar a Sancho Panza de no haber podido encontrar la cabeza del gigante; aunque más tuvieron que aplacar al ventero, que estaba desesperado por la repentina muerte de sus odres.

Como el cura y el barbero deseaban llevar a don Quijote a su casa, y procurar la cura de su locura, hicieron como una jaula de palos enrejados, en la que pudiese caber holgadamente.

Llegaron donde don Quijote dormía, y cogiéndole fuertemente, le ataron bien las manos y los pies, así cuando él despertó sobresaltado, no se podía menear ni defender, y lo pusieron sobre una carreta de bueyes.

Disimulando una voz que provenía de los cielos, hicieron creer a don Quijote que estaba encantado, haciéndole ver que la prisión en la que iba a su casa, le convenía para acabar más pronto su aventura.

Quedó don Quijote consolado, y dando un hondo suspiro dijo:

—¡Oh, tú, quienquiera que seas, que tan bien me has ayudado! Te ruego pidas de mi parte al sabio encantador que no me deje perecer en esta prisión.

Partieron todos: don Quijote sobre la carreta de bueyes y dentro de la jaula, y el cura y el barbero a caballo, disfrazados con unos antifaces que llevaban desde el principio para que no fuesen reconocidos por don Quijote, y así poderle llevar engañado a casa.

Después de seis días llegaron al pueblo de don Quijote. Como era domingo, entraron a la aldea a mediodía, y toda la gente que estaba en la plaza acudió a ver el carro, quedando asombrada de ver así a su vecino.

Un chico corrió a dar la noticia al ama y a la sobrina de que don Quijote venía amarillo y flaco, tendido sobre un montón de heno dentro de una jaula.

El ama y la sobrina de don Quijote lo acostaron en su antigua cama, mirándoles él sin darse cuenta de dónde estaba.

El cura recomendó a la sobrina que le cuidase bien, y que estuviera alerta para que no escapase otra vez.

La sobrina y el ama alzaron a dúo los gritos al cielo y repitieron sus maldiciones a los libros de caballería.

DON QUIJOTE, EN CAMA, ENFERMO

EL CURA Y EL BARBERO estuvieron casi un mes sin ver a don Quijote, por no traerle a la memoria las cosas pasadas, pero no dejaron de visitar a la sobrina y a su ama, encargándoles que le atendieran, dándole de comer cosas nutritivas y apropiadas para el corazón y el cerebro, de donde procedía toda su mala ventura.

Cuando lo visitaron al fin, lo hallaron sentado en su cama, con un gorro de dormir colorado en la cabeza; y estaba tan delgado que parecía una momia. Fueron muy bien recibidos por él; les dio cuenta de su salud con muy elegantes y cuerdas palabras. En la conversación trataron asuntos del gobierno y de la política y don Quijote habló con tanta discreción y sensatez, que los visitantes creyeron que ya estaba sano y en su juicio cabal.

El cura, que deseaba probar si don Quijote estaba curado o no, dijo:

—Toda la caterva de caballeros andantes han sido imaginación, fábula y mentira, y sueños contados por hombres despiertos o medio dormidos.

—Ese es un error —contestó don Quijote— en que han caído muchos que no creen que haya habido tales caballeros andantes en el mundo. Con mis propios ojos vi a Amadís de Gaula, que era un hombre alto de cuerpo, blanco de rostro, bien puesto de barba, lento para enojarse y rápido para dejar la ira. Y del modo que he delineado a Amadís podría pintar y describir todos cuantos caballeros andan en las historias del orbe.

En esto les pareció oír que la sobrina y el ama, que ya habían dejado la conversación, daban grandes voces en el patio, y acudieron todos al ruido.

Los gritos que oyeron don Quijote, el cura y el barbero eran como suponían de la sobrina y el ama, que no querían dejar entrar a Sancho Panza a ver a su amo. Ellas le decían:

—¿Qué quiere este mostrenco en esta casa? Iros a la vuestra, hermano, que vos sois, y no otro, el que distrae y enloquece a mi señor, y le lleva por esos lugares.

61

Sancho respondió:

—El enloquecido, el distraído y el llevado por esos lugares soy yo y no tu amo. El me llevó por esos mundos con engañifas, prometiéndome una isla, que hasta ahora la estoy esperando.

—¡Sancho maldito! ¿Y qué son islas? ¿Es alguna cosa de comer, golosazo comilón?

—No es de comer —replicó Sancho—, sino de gobernar y regir mejor que cuatro ciudades y que cuatro alcaldes de Corte.

—Con todo eso —dijo el ama—, no entraréis acá, saco de maldades y costal de malicias. Id a gobernar vuestra casa y dejaos de pretender islas.

El cura y el barbero oían con mucho gusto el coloquio de los tres; pero don Quijote, temeroso de que Sancho se marchara, le llamó e hizo que las dos se callasen y le dejasen entrar.

Entró Sancho y el cura y el barbero se despidieron de don Quijote, de cuya salud desesperaron. El cura dijo al barbero:

—Cuando menos lo pensemos, compadre, nuestro hidalgo sale otra vez a sus aventuras.

En tanto, don Quijote se encerró con Sancho en su aposento, y dijo:

—Mira, Sancho, dondequiera que esté la virtud, es perseguida. Pocos o ninguno de los famosos varones que pasaron dejó de ser calumniado de la malicia. Julio César, animosísimo, prudentísimo y valentísimo capitán, fue tildado de ambicioso y poco limpio en sus vestidos y en sus costumbres. Alejandro, a quien sus hazañas le dieron el renombre de Magno, dicen de él que fue borracho. Así que, ¡oh Sancho!, entre tantas calumnias de buenos, bien pueden pasar las mías.

—Anoche llegó el hijo de Bartolomé Carrasco, que viene de estudiar de Salamanca, hecho bachiller, y yéndole yo a dar la bienvenida, me dijo que andaba ya en libros la historia de vuestra merced, con el nombre de *El Ingenioso Hidalgo don Quijote de La Mancha*, y dice que me mencionan a mí con mi mismo nombre de Sancho Panza, y a la señora Dulcinea del Toboso, y cuentan otras cosas que pasamos nosotros a solas.

—Yo te aseguro, Sancho —dijo don
Quijote—, que debe de ser algún sabio
encantador el autor de nuestra historia; que a ellos no se
les oculta nada de lo que quieren escribir.

—Y ¡cómo si era sabio y encantador, si el autor de la historia se llama Cide Hamete
Berenjena! —dijo Sancho.

—Ese nombre es de moro —respondió don Quijote.

—Así será —contestó Sancho—; porque he oído que los moros son amigos de las
berenjenas.

—Me darás mucho gusto, amigo —dijo don Quijote—, si me traes aquí a ese bachiller,
que me tiene en suspenso, y no comeré un bocado hasta ser informado de todo esto.

—Pues voy por él —añadió Sancho.

Y dejando a su señor se fue a buscar al bachiller.

COLOQUIO ENTRE DON QUIJOTE
Y EL BACHILLER

Pensativo quedó don Quijote esperando al bachiller Carrasco, de quien esperaba oír las nuevas de sí mismo puestas en libro, como dijo Sancho. Así envuelto y revuelto en imaginaciones le hallaron Sancho y Carrasco, a quien don Quijote recibió con mucha cortesía.

El bachiller, muchacho de unos veinticuatro años, amigo de burlas, no muy grande de cuerpo, aunque un gran socarrón, poniéndose de rodillas, le dijo:

—Déme vuestra grandeza las manos, señor don Quijote de la Mancha. ¡Vuestra merced es uno de los más grandes caballeros andantes que ha habido y habrá en toda la redondez de la tierra!

Le hizo levantar don Quijote y le dijo:

—¿Verdad es que hay una historia mía, y que fue moro y sabio el que la ha escrito?

—Es tan verdad, señor —dijo Sansón Carrasco—, que tengo para mí que hasta el día de hoy están impresos más de doce mil libros de tal historia; si no, que lo digan Portugal, Barcelona y Valencia, donde se han impreso. Y se dice que se está imprimiendo también en Amberes.

En esto se puso a relinchar Rocinante. Don Quijote lo tomó como buen agüero y decidió partir de allí a pocos días. Luego pidió al bachiller consejos sobre qué caminos debía seguir.

Carrasco le contestó que era su parecer que fuese al reino de Aragón y a la ciudad de Zaragoza, donde dentro de poco se harían unas solemnes fiestas de San Jorge. Allí podría ganar fama don Quijote sobre todos los caballeros aragoneses, que sería como ganarla sobre todos los del mundo.

Así quedaron y que la partida sería de allí a ocho días. Don Quijote encargó a Carrasco que le guardara el secreto, para que no le pusieran impedimentos a su valerosa decisión. Lo prometió el bachiller y se despidieron.

Pero el ama y la sobrina de don Quijote los habían oído, y le echaron al bachiller tantas maldiciones que no se podían contar.

Durante aquellos días don Quijote y Sancho prepararon todo lo que necesitaban. Y después de haber aplacado Sancho a su mujer y don Quijote a su sobrina y ama, se pusieron nuevamente en camino al anochecer.

Lo que sucedió a Don Quijote con su Dulcinea

Tomaron el camino del Toboso y, como se les hizo de noche, tuvieron que desistir de buscar la casa de Dulcinea como era intención de don Quijote. De modo que se emboscó don Quijote en la floresta junto al Toboso, mandó a Sancho volver a la ciudad, y que no tornase a su presencia sin haber hablado a su señora, para que ésta se dejara ver por el cautivo caballero.

—Anda, hijo —dijo don Quijote—, y no te turbes cuando te vieres ante la luz del sol de su hermosura. ¡Dichoso tú sobre todos los escuderos del mundo!

Se alejó Sancho y don Quijote se quedó a caballo, descansando sobre los estribos, lleno de tristes y confusas imaginaciones. No menos pensativo estaba Sancho, y apenas hubo salido del bosque, se apeó del asno y, sentándose al pie de un árbol, se puso a hablar consigo mismo:

—Sepamos ahora, Sancho, adónde vamos. Voy a buscar como quien dice nada, a una princesa, y en ella al sol de la hermosura y a todo el cielo junto. ¿Y dónde piensas hallar eso y de parte de quién la vas a buscar? De parte del famoso caballero don Quijote de la Mancha, que deshace los tuertos, y da de comer al que tiene sed, y de beber al que tiene hambre. ¿Y sabes su casa, Sancho? Mi amo dice que han de ser unos reales palacios o unos soberbios alcázares. ¿Y la has visto algún día por ventura? No; ni yo ni mi amo la hemos visto.

Este soliloquio lo tuvo Sancho, y volvió a decirse:

—Ahora bien, todas las cosas tienen remedio, menos la muerte, debajo de cuyo manto hemos de pasar todos, mal que nos pese, al acabar la vida. Este mi amo es un loco de atar, y yo no me quedo atrás, pues soy más mentecato que él y sin embargo le sigo y le sirvo. Siendo, pues, loco como es, no será difícil hacerle creer que una labradora, la primera con quien me topase por aquí, es la señora Dulcinea. Y cuando él no lo crea, juraré yo; y si él jurare, tornaré yo a jurar; y si porfiare, porfiaré yo más. Y quizá pensará, como yo imagino, que algún mal encantador que él dice que le quiere mal, la habrá mudado la figura.

Con esto Sancho sosegó su espíritu y tuvo por bien acabado su negocio, deteniéndose allí hasta por la tarde, para que don Quijote pensase que había ido y vuelto del Toboso. Y todo le salió tan bien, que cuando se levantó para subir en el asno vio que venían hacia él tres labradoras sobre sus burros. Apenas las vio, a la carrera fue a

buscar a su señor. Lo halló suspirando y diciendo mil amorosas lamentaciones. Apenas don Quijote le vio, le dijo:

—¿Qué hay, Sancho amigo? ¿Podré señalar este día con piedra blanca o con negra? ¿Buenas nuevas traes?

—Tan buenas —respondió Sancho—, que no tiene más que picar a Rocinante y venir a ver a la señora Dulcinea del Toboso, que con otras dos doncellas suyas viene.

Tendió don Quijote los ojos por todo el camino del Toboso, y como no vio sino a las tres campesinas, turbóse todo, y preguntó a Sancho si las había dejado fuera de la ciudad.

—¿Cómo fuera de la ciudad? —replicó Sancho—. ¿Por ventura no ve que son éstas, las que aquí vienen, resplandecientes como el mismo sol a mediodía?

—Yo no veo, Sancho —dijo don Quijote—, sino a tres labradoras sobre tres borricos.

—Calle, señor —dijo Sancho—, y venga a hacer reverencia a la señora de sus pensamientos, que ya está muy cerca.

Y diciendo esto, se adelantó Sancho a recibir a las tres aldeanas, y apeándose del rucio, tomó del cabestro al jumento de una de las tres e hincando ambas rodillas en el suelo, dijo:

—¡Reina y princesa y duquesa de la hermosura! Reciba de buen talante al cautivo caballero vuestro, que aquí está hecho piedra mármol, todo turbado y sin pulso. Yo soy Sancho Panza, su escudero, y él es don Quijote de La Mancha, llamado por otro nombre el Caballero de la Triste Figura.

Ya se había puesto don Quijote de hinojos junto a Sancho, y miraba con ojos desencajados y vista turbada a la que Sancho llamaba reina y señora; y como no veía en ella sino una moza aldeana, y no de muy buen rostro, porque era carirredonda y chata, estaba suspenso y admirado, sin osar despegar los labios. Las campesinas estaban asimismo atónitas, viendo aquellos dos hombres tan diferentes hincados; pero rompiendo el silencio la que habían detenido, toda mohína dijo:

—¡Apártense del camino y déjenos pasar, que vamos con prisa!

A lo que respondió Sancho:

—¡Oh, princesa y señora del Toboso! ¿Cómo vuestro magnánimo corazón no se conmueve viendo arrodillado ante vuestra presencia la columna y sustento de la caballería andante?

Al oír esto una de las aldeanas dijo:

—¡Ahora vienen los señoritos a burlarse de las aldeanas! Sigan su camino y déjennos seguir el nuestro.

—Levántate, Sancho —dijo en ese momento don Quijote—; que ya veo que la fortuna no está de mi parte. Veo que el maligno encantador me

persigue, y ha puesto nubes
y cataratas a mis ojos, y ha
mudado y transformado su sin igual
hermosura y rostro en el de una labradora
pobre.

—¡Qué abuelo! —respondió la aldeana—. ¡Amiguita soy yo de
oír resquebrajos! ¡Apártense y déjennos ir, que se lo agradeceremos!

Se apartó Sancho y la dejó pasar, contento de haber salido de su enredo. Apenas se vio
libre la aldeana que fue tomada por Dulcinea, picó su burro con un aguijón y echó a correr
por el prado adelante.

—Sancho, ¡cuán mal querido soy de encantadores! ¡Mira hasta dónde se extiende su
ojeriza, que me han privado de la alegría de ver a mi señora! ¡Soy el más desdichado de los
hombres, Sancho!

Muchos esfuerzos tenía que hacer el socarrón de Sancho para disimular la risa, oyendo
las sandeces de su amo tan delicadamente engañado. Y volviendo a subir en sus bestias,
siguieron el camino de Zaragoza.

LA AVENTURA CON EL CABALLERO DEL BOSQUE

DORMITABA DON QUIJOTE al pie de una encina y Sancho dormía al pie de un alcornoque cuando les despertó un ruido. Levantándose con sobresalto, don Quijote vio a dos hombres a caballo.

Uno de ellos, dejándose caer de la silla, dijo al otro:

—Apéate, amigo, y quita los frenos a los caballos que, a mi parecer, en este sitio abunda la hierba para ellos, y soledad para mis pensamientos.

Decir esto y tenderse en el suelo todo fue uno. Por las armas que llevaba conoció don Quijote que debía de ser caballero andante y, tomando a Sancho de un brazo, le dijo:

—Hermano Sancho, aventura tenemos.

—Dios nos la dé buena —respondió Sancho—. Y ¿adónde está, señor, esa aventura?

—¿Adónde, Sancho? —contestó don Quijote—. Vuelve los ojos y mira, y verás allá tendido un andante caballero que, a lo que a mí me parece, no debe estar demasiado alegre, porque le vi bajar del caballo y tenderse en el suelo con muestras de despecho, y al caer le crujieron las armas.

Al oír el Caballero del Bosque que alguien hablaba cerca de él, se puso de pie gritando con voz sonora:

—¿Quién va allá? ¿Qué gente? ¿Pertenece al número de los descontentos o de los afligidos?

—¡De los afligidos! —respondió don Quijote.

—Pues lléguese a mí —dijo el del Bosque—, y será como si llegase a la misma tristeza.

Y en tanto los dos caballeros se sentaban sobre la dura tierra para contarse sus cuitas, los escuderos se apartaron juntos.

Tanto hablaron y tanto bebieron los dos escuderos, que tuvo necesidad el sueño de atarles la lengua y templarles la sed, que

quitársela fuera imposible. Y así, cogidos los dos de la casi vacía bota, se quedaron dormidos.

Entretanto, el Caballero del Bosque, también llamado de los Espejos, le decía a don Quijote:

—De lo que yo más me precio y ufano es de haber vencido en singular batalla al famoso caballero don Quijote de la Mancha, y haberlo hecho confesar que es más hermosa mi Casildea que su Dulcinea.

Don Quijote lo escuchaba asombrado, y estuvo mil veces por decirle que mentía; pero se contuvo lo mejor que pudo, hasta que dijo:

—De que haya vencido a los más famosos caballeros andantes de España, y aun de todo el mundo, no digo nada; pero de que haya vencido a don Quijote de la Mancha, lo pongo en duda. Podría ser que fuese otro que se le pareciese, aunque hay pocos que se le parecen.

—¿Cómo no? —replicó el del Bosque—. Por el cielo que nos cubre, que peleé con don Quijote y le vencí y rendí. Es un hombre alto de cuerpo, seco de rostro, estirado y avellanado de miembros, entrecano, la nariz aguileña y algo corva, de bigotes grandes, negros y caídos. Campea bajo el nombre del Caballero de la Triste Figura, y trae por escudero a un labrador llamado Sancho Panza. Oprime el lomo de un famoso caballo llamado Rocinante y, finalmente, tiene por señora de su voluntad a una tal Dulcinea del Toboso. Si todas estas señas no bastan, aquí está mi espada, que le hará dar crédito a la misma incredulidad.

—Dudo que haya vencido a don Quijote de la Mancha —replicó don Quijote—. Ese don Quijote es el mayor amigo que tengo; tanto, que puedo decir que es como si fuera yo mismo. ¡A menos que un encantador haya tomado su figura para dejarse vencer y quitarle la fama que ya tiene!

Y diciendo esto, se levantó y empuñó su espada.

—¡Si esto no basta, aquí está el mismo don Quijote que apoyará con sus armas lo que dice!

También se levantó el del Bosque y exclamó:

—¡El que pudo venceros transformado, bien podrá rendiros en vuestro propio ser!

Y se fueron a despertar a sus escuderos, ordenándoles que tuvieran listos los caballos, porque al salir el sol iban a trabar una sangrienta y desigual batalla.

Sancho quedó atónito, temeroso de la salud de su amo, por las valentías que había oído decir del suyo al escudero del Bosque.

Comenzó a clarear y lo primero que vio Sancho fue la nariz del escudero del Caballero del Bosque, que era tan grande que casi le hacía sombra a todo el cuerpo.

Don Quijote también miró a su adversario, pero como tenía la celada puesta no le pudo ver la cara. Lo que vio fue su casaca, que parecía de oro

finísimo, sembrada de muchas lunas pequeñas de resplandecientes espejos. Notó que era hombre membrudo, no muy alto de cuerpo. La lanza era grandísima, gruesa y de un hierro acerado de más de un palmo.

Subieron a los caballos y el del Bosque dijo:

—La condición de nuestra batalla es que el vencido quedará a voluntad del vencedor para que haga de él lo que quisiere.

Aceptó don Quijote y se le pusieron a la vista las extrañas narices del escudero. Lo tomó por un monstruo de aquellos que no se ven por el mundo.

Sancho, que vio partir a su amo para tomar carrera, tuvo miedo de quedarse solo con el narigudo y dijo a don Quijote:

—Suplico a vuesa merced que antes me ayude a subir sobre aquel alcornoque, de donde podré ver, mejor que desde el suelo, el gallardo encuentro.

—Antes creo —dijo don Quijote— que te quieres encaramar y subir en andamio para ver sin peligro los toros.

En lo que se detuvo don Quijote para que Sancho subiese en el alcornoque, tomó el del Bosque distancia; y creyendo que lo mismo hacía su adversario, sin esperar son de trompeta, volvió las riendas a su caballo y a todo correr iba al encuentro de su enemigo; pero viéndolo ocupado en la subida de Sancho, detuvo las riendas y se paró a mitad de la carrera, de lo que el caballo quedó agradecidísimo, porque ya no podía moverse.

Don Quijote, que le pareció que su adversario volaba, arrimó reciamente las espuelas a las flacas ijadas de Rocinante, y le aguijoneó de manera que por primera vez corrió algo, porque todas las demás fueron siempre trotes declarados. Y con esta furia llegó donde el de los Espejos estaba hincando a su caballo las espuelas hasta los botones, sin que le pudiese mover un solo dedo del sitio. En esta buena sazón encontró don Quijote a su contrario, embarazado con su caballo y ocupado con su lanza, que no tuvo lugar de ponerla en ristre.

Don Quijote atacó al de los Espejos con tanta fuerza, que lo hizo venir al suelo, dándose tal golpe, que sin mover pie ni mano, dio señales de que estaba muerto. Apenas lo vio caído, Sancho se bajó del alcornoque y corrió donde estaba su señor. Este, apeándose de Rocinante, se acercó al del Bosque y alzándole la celada para ver si estaba muerto y para que le diese el aire si estaba vivo, vio... ¿Quién podrá decir lo que vio sin causar admiración y espanto a los que lo oyeren? Vio la misma fisonomía, la misma efigie del bachiller Sansón Carrasco. Y así como lo vio, gritó:

—¡Mira, Sancho, lo que has de ver y creer! ¡Advierte lo que puede la magia de los encantadores!

El derribado caballero no daba muestra de estar vivo, y dijo Sancho:

—Soy del parecer, señor mío, que por sí o por no, meta la espada por la boca a éste que parece Sansón Carrasco; quizá matará en él a alguno de sus enemigos los encantadores.

—¡No dices mal! —dijo don Quijote—; porque de los enemigos, los menos.

Y sacando la espada para poner en efecto el consejo de Sancho, llegó el escudero del de los Espejos, ya sin las narices que tan feo le habían puesto, y a grandes voces dijo:

—¡Cuidado con lo que hace, señor don Quijote! ¡Este que tiene a sus pies es el bachiller Sansón Carrasco, su amigo!

—¿Y las narices? —preguntó Sancho.

—Aquí las tengo, en la faltriquera —contestó el escudero—, sacando unas narices de pasta y barniz.

—¡Santa María me valga! ¿Éste no es Tomé Cecial, mi vecino y mi compadre?

—¡Claro que lo soy! —dijo el desnarigado escudero.

En esto volvió en sí el de los Espejos y al verlo don Quijote le puso la punta de la espada encima del rostro, y le dijo:

—Muerto sois, caballero, si no confesáis que la sin par Dulcinea del Toboso aventaja en belleza a vuestra Casildea de Vandalia; y además de esto habéis de prometer ir a la ciudad del Toboso, y presentaros de mi parte, para que haga de vos su voluntad.

—Confieso —dijo el caído— que vale más el zapato descosido y sucio de la señora Dulcinea del Toboso que las barbas mal peinadas, aunque limpias, de Casildea, y prometo ir y volver a daros cuenta de lo que me pedís.

—También habéis de confesar y creer —añadió don Quijote— que aquel caballero andante que vencisteis no fue, ni pudo ser, don Quijote de la Mancha, sino otro que se le parecía, como yo confieso y creo que vos, aunque parecéis el bachiller Sansón Carrasco, no lo sois.

—¡Todo lo confieso, juzgo y siento como lo creéis vos! —respondió el derrengado caballero—. Dejadme levantar, os ruego, si es que lo permite el golpe de mi caída, que bastante maltrecho me tiene.

Le ayudó a levantarse don Quijote y Tomé Cecial su escudero. Mohínos y malandantes se apartaron de don Quijote y Sancho, buscando algún lugar donde entablillarse las costillas.

Don Quijote y Sancho volvieron a proseguir su camino.

LAS BODAS DE CAMACHO

SE ENCONTRÓ DON QUIJOTE con dos personajes cuyas vestimentas los definían como clérigos o como estudiantes, y con dos labradores, todos montados sobre cuatro asnos.

Estudiantes y labradores cayeron en la misma admiración al ver a don Quijote. Este los saludó y después de saber el camino que llevaban, que era el suyo, les ofreció su compañía, y les pidió que midieran el paso, ya que caminaban más sus asnos que su caballo. Y les dijo quién era, su oficio y profesión, que era de caballero andante en busca de aventuras por el mundo.

Uno de los estudiantes le dijo:

—Si vuesa merced, señor caballero, no lleva camino fijo, véngase con nosotros. Verá una de las mejores bodas y más ricas que hasta el día de hoy se han celebrado en La Mancha, ni en muchas otras leguas a la redonda.

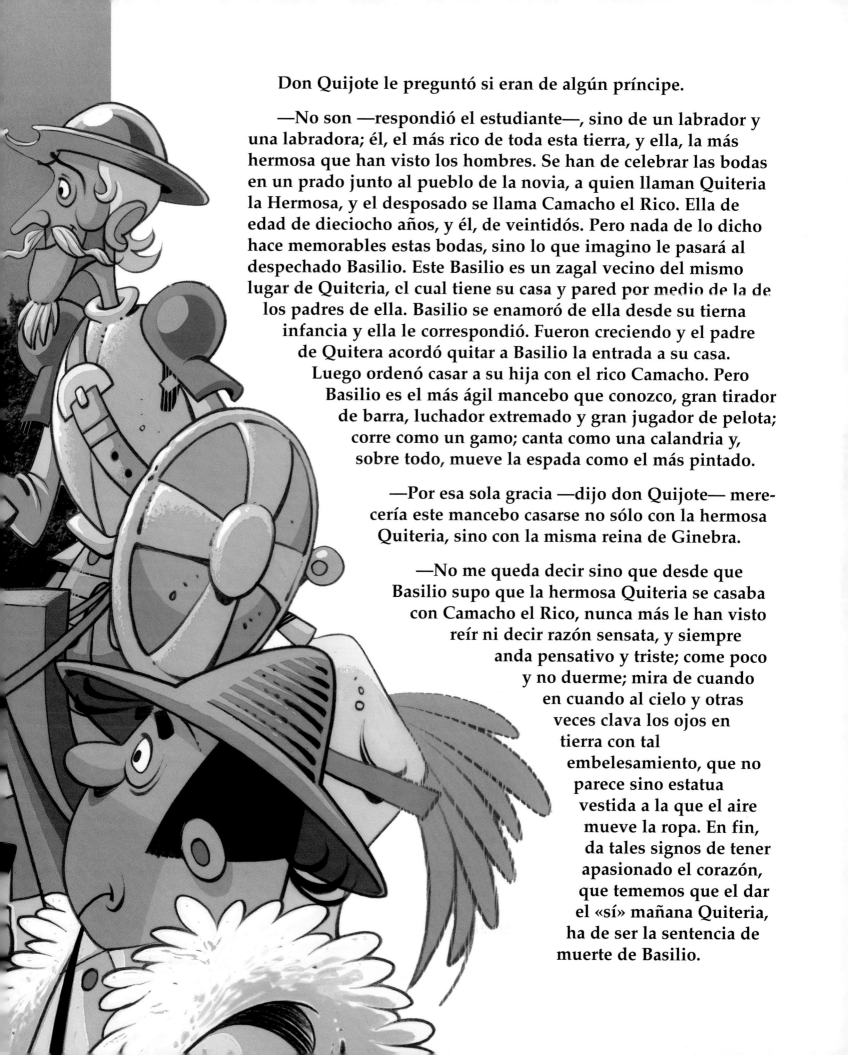

Don Quijote le preguntó si eran de algún príncipe.

—No son —respondió el estudiante—, sino de un labrador y una labradora; él, el más rico de toda esta tierra, y ella, la más hermosa que han visto los hombres. Se han de celebrar las bodas en un prado junto al pueblo de la novia, a quien llaman Quiteria la Hermosa, y el desposado se llama Camacho el Rico. Ella de edad de dieciocho años, y él, de veintidós. Pero nada de lo dicho hace memorables estas bodas, sino lo que imagino le pasará al despechado Basilio. Este Basilio es un zagal vecino del mismo lugar de Quiteria, el cual tiene su casa y pared por medio de la de los padres de ella. Basilio se enamoró de ella desde su tierna infancia y ella le correspondió. Fueron creciendo y el padre de Quitera acordó quitar a Basilio la entrada a su casa. Luego ordenó casar a su hija con el rico Camacho. Pero Basilio es el más ágil mancebo que conozco, gran tirador de barra, luchador extremado y gran jugador de pelota; corre como un gamo; canta como una calandria y, sobre todo, mueve la espada como el más pintado.

—Por esa sola gracia —dijo don Quijote— merecería este mancebo casarse no sólo con la hermosa Quiteria, sino con la misma reina de Ginebra.

—No me queda decir sino que desde que Basilio supo que la hermosa Quiteria se casaba con Camacho el Rico, nunca más le han visto reír ni decir razón sensata, y siempre anda pensativo y triste; come poco y no duerme; mira de cuando en cuando al cielo y otras veces clava los ojos en tierra con tal embelesamiento, que no parece sino estatua vestida a la que el aire mueve la ropa. En fin, da tales signos de tener apasionado el corazón, que tememos que el dar el «sí» mañana Quiteria, ha de ser la sentencia de muerte de Basilio.

Era ya de noche, pero antes que llegasen a la aldea les pareció oír confusos y suaves sonidos de diversos instrumentos, como de flautas, tamborinos, panderos y sonajas. Cuando llegaron cerca vieron que los árboles de una enramada a la entrada del pueblo estaban llenos de luz.

Los músicos eran los animadores de la fiesta, que por allí andaban, unos bailando, otros cantando y otros tocando diversos instrumentos.

Algunos levantaban andamios desde donde se podrían ver las representaciones y las danzas que habían de hacer para festejar las bodas.

No quiso entrar don Quijote en el lugar; dio como razón que era costumbre en los caballeros andantes dormir por los campos antes

que en los poblados, y con esto se desvió un poco del camino, contra la voluntad de Sancho.

Apenas la blanca aurora mostró el luciente sol, don Quijote y Sancho entraron los dos paso a paso de sus cabalgaduras por la enramada. Lo primero que se les ofreció a la vista fue un asador hecho de un olmo entero, en el cual se asaba ensartado un novillo que tenía cosidos dentro doce lechones jugosos. Seis ollas encerraban carneros enteros como si fueran pichones, y las liebres y gallinas que colgaban de los árboles para ser llevadas a las ollas, no tenían número. Los pájaros de caza de diversos géneros eran infinitos, enganchados a los árboles para que el aire los enfriase.

Sancho contó más de sesenta odres llenos de generosos vinos. Vio rimeros de pan blanquísimo, como los suele haber de

91

montones de trigo en las eras. Los quesos estaban puestos como ladrillos, y dos calderas de aceite servían para freír cosas de masa, que con dos palas sacaban fritas y las pasaban por otra caldera de miel.

Eran más de cincuenta los cocineros y cocineras, todos limpios, diligentes y contentos. La ostentación de la boda era rústica, pero tan abundante que podía sustentar a un ejército.

Los invitados recibieron a los novios con regocijada algazara, gritando:

—¡Vivan Camacho y Quiteria, él tan rico como ella hermosa!

Oyendo lo cual don Quijote, dijo entre sí:

—Bien parece que éstos no han visto a mi Dulcinea del Toboso.

Todos se dirigieron a un escenario que habían levantado, adornado de alfombras y ramas, donde se iban a realizar las bodas y desde el cual se verían las danzas y los juegos.

Cuando poco faltaba para llegar al lugar, oyeron gritos a sus espaldas.

—¡Esperaos un poco, gente tan inconsiderada como presurosa!

Volvieron todos la cabeza y vieron venir un hombre con una corona de ciprés y vestido con una capa negra; en la mano traía un bastón.

Todos reconocieron al gallardo Basilio, pero se quedaron en suspenso, esperando en qué habían de parar sus voces y sus palabras, temiendo algún mal suceso. Al llegar delante de los novios, cansado y sin aliento, clavó su bastón en el suelo y, mirando a Quiteria, dijo:

—Quiteria: sabes muy bien que por el amor que nos une, no puedes casarte con otro. ¡Pero me quitaré de por medio para no estorbarte! ¡Viva, viva el Rico Camacho con la ingrata Quiteria, y muera, muera, el pobre Basilio!

Luego cogió el bastón que tenía hincado en el suelo, y todos vieron que era la vaina de un estoque. Basilio se arrojó sobre ella y quedó bañado en sangre mientras la punta acerada de la espada aparecía a sus espaldas. Y ante el horror de todos el pobre cayó desplomado al suelo, traspasado por su propia arma.

Acudieron sus amigos a prestarle ayuda, pero don Quijote lo tomó en sus brazos.

Basilio, volviendo un poco en sí, murmuró:

—¡Si en este último trance mortal quisieras darme tu mano de esposa, cruel Quiteria, mi temeridad tendría disculpa!

Don Quijote opinó que Basilio pedía una cosa justa. Por otra parte, el señor Camacho quedaría tan honrado recibiendo por esposa a la señora Quiteria, viuda del valeroso Basilio, como si la recibiera del lado de su padre.

No sabía qué contestar Camacho, pero los amigos de Basilio pidieron con tanta insistencia que consintiese que tuvo que acceder. Luego acudieron a Quiteria y con ruegos y lágrimas la persuadían para que diera la mano al moribundo Basilio. Pero ella, más dura y fría que el mármol, no hubiera contestado nada si el cura no le hubiera dicho que se decidiera porque no había tiempo que perder, ya que Basilio estaba muriendo.

Entonces, la hermosa Quiteria, triste y preocupada, se acercó a Basilio y, colocándose de rodillas a su lado, le pidió la mano y le dijo:

—Te doy la mano de legítima esposa.

Basilio contestó:

—Yo también me entrego por esposo.

Y el cura, enternecido y lloroso, les echó la bendición y pidió al cielo que acogiera el alma del desposado. Mas éste, apenas recibió la bendición, se levantó de un salto y con mucha desenvoltura se quitó el estoque del cuerpo.

Asombrados los presentes gritaron:

—¡Milagro! ¡Milagro!

Pero Basilio dijo:

—Milagro no. ¡Ingenio, ingenio!

Tocó el cura la herida y vio que la cuchillada no había pasado el cuerpo de Basilio, sino por una caña hueca, llena de sangre, que bien acondicionada tenía debajo de la capa.

Camacho, los invitados y el cura se dieron por burlados. Sólo la desposada no dio muestras de pesarle la burla, muy al contrario, oyendo decir que el casamiento no valía por haber sido engañoso, dijo que ella lo confirmaba de nuevo.

Camacho y sus parientes quisieron vengar con las armas la burla, y desenvainando sus espadas atacaron a Basilio, en cuya defensa se desenvainaron otras tantas.

Don Quijote tomó la delantera, a caballo, lanza en el brazo y cubierto con su escudo, mientras Sancho, a quien no le gustaron estos sucesos, se acomodaba junto a las ollas de comida.

—¡Quietos, señores, quietos! —dijo don Quijote—. ¡No hay razón de vengarse de los agravios que hace el amor! ¡Quiteria era de Basilio y Basilio de Quiteria por disposición de los cielos! Camacho es rico, mientras que Basilio no tiene más que esta oveja, y nadie se la quitará sin pasar por la punta de esta lanza.

Y tan fuertemente blandió el arma que asustó a todos los que no le conocían.

El cura, en tanto, había tranquilizado a Camacho, y éste, para no mostrar su despecho, ordenó que la fiesta siguiera adelante.

Mas Basilio y su esposa se negaron a quedarse, y con sus amigos se fueron a la aldea del marido, llevándose consigo a don Quijote, a quien estimaban por ser un hombre de valor.

Sólo a Sancho se le oscureció el alma por tener que perderse la opípara fiesta de Camacho, que se alargó durante toda la noche.

Y triste y disgustado, montado en su asno, siguió las huellas de Rocinante.

LA CUEVA DE MONTESINOS

GRANDES Y MUCHOS fueron los regalos que los desposados hicieron a don Quijote, obligados por la defensa que había hecho de su causa. El buen Sancho se hartó de comer tres días a costa de los novios.

Al final pidió don Quijote al diestro licenciado que le diese un guía que lo encaminase a la cueva de Montesinos, porque tenía deseo de entrar en ella y ver con sus ojos si eran ciertas las maravillas que de ella se decían. El licenciado ofreció darles a un primo suyo, famoso estudiante y muy aficionado a leer libros de caballería, quien le pondría a la boca de la misma cueva y le enseñaría las lagunas de Ruidera, famosas en toda La Mancha y aun en toda España.

Vino el primo con una burra preñada y Sancho ensilló a Rocinante y enderezó al rucio, llenó sus alforjas, a las cuales acompañaron las del primo, igualmente bien abastecidas, y encomendándose a Dios y despidiéndose de todos, se pusieron en camino, tomando la ruta de la famosa cueva de Montesinos.

Otro día llegaron a las dos de la tarde a la cueva, cuya boca era espaciosa y ancha; pero llena de malezas y zarzas tan espesas e intrincadas, que cubrían la entrada.

En viéndola se apearon el primo, Sancho y don Quijote, a quien los otros dos le ataron fuertemente con sogas; y en tanto le liaban, le dijo Sancho:

—Mire vuesa merced lo que hace: no se quiera sepultar en vida, ni se ponga a escudriñar en esta que debe ser peor que mazmorra.

—Ata y calla —dijo don Quijote—, que tal empresa para mí está guardada.

Dicho esto, y acabado de atar don Quijote, dijo:

—¡Oh, señora de mis acciones y movimientos, clarísima y sin par Dulcinea del Toboso! Si es posible que lleguen a tus oídos las plegarias de este tu venturoso amante, por tu inaudita belleza te ruego las escuches. Voy a despeñarme, a empozarme en el abismo.

Y diciendo esto se acercó al profundo agujero y vio que no era posible descolgarse sin hacerse paso a cuchilladas, y así, poniendo mano a la espada, comenzó a derribar y a cortar las malezas que a la boca de la cueva estaban, por cuyo ruido y estruendo salieron por ella una infinidad de cuervos y murciélagos con tanta prisa, que dieron con don Quijote en el suelo.

Luego se levantó y viendo que no salían más cuervos ni aves nocturnas, dándole soga el primo y Sancho, se dejó bajar al fondo de la caverna espantosa.

Iba don Quijote dando voces que le diesen más soga, y ellos se la daban poco a poco; y cuando las voces dejaron de oírse, ya ellos tenían descolgadas las cien brazas de la soga.

Con todo eso se detuvieron como media hora, al cabo de cuyo espacio volvieron a recoger la soga con mucha facilidad y sin peso alguno, señal que les hizo imaginar que don Quijote se quedó dentro. Creyéndolo así Sancho lloraba amargamente y tiraba con mucha prisa por desengañarse; pero llegando a poco más de las ochenta brazas, sintieron peso, por lo que se alegraron mucho. Finalmente, a las diez brazas vieron a don Quijote, a quien dio voces Sancho, diciéndole:

—Sea vuesa merced muy bien vuelto, señor mío; que ya pensábamos que se quedaba allá.

Pero no respondía palabra don Quijote; y sacándole del todo, vieron que tenía cerrados los ojos, con muestras de estar dormido. Le tendieron en el suelo y lo desataron, y, con todo esto, no despertaba; pero tanto le volvieron y revolvieron, sacudieron y menearon que al cabo de un buen rato volvió en sí, desperezándose, como si de algún profundo sueño despertara; y mirando a una y otra parte, como espantado, dijo:

—Dios os lo perdone, amigos, que me
habéis quitado de la más sabrosa y agradable vida y vista que
ningún humano ha visto ni pasado. En efecto, ahora acabo de conocer que
todos los contentos de esta vida pasan como sombra y sueño, o se marchitan como la
flor del campo. ¡Oh, desdichado Montesinos! ¡Oh, malherido Durandarte! ¡Oh, sin ventura
Belerma! ¡Oh, lloroso Guadiana!

Con enorme atención escucharon el primo y Sancho las palabras de don Quijote, que
las decía como si con dolor inmenso las sacase de las entrañas. Le suplicaron les diese a
entender lo que decía, y les contase lo que en aquel infierno había visto.

—¿Infierno le llamáis? —dijo don Quijote—. Pues no le llaméis así, porque no lo
merece, como enseguida veréis.

Pidió que le diesen algo de comer, que tenía mucha hambre. Sacaron las provisiones y
sentados los tres en amor y compaña, merendaron y cenaron, todo junto.

Lo que contó Don Quijote de la cueva

LAS CUATRO DE LA TARDE SERÍAN, con luz escasa, cuando don Quijote contó lo que en la cueva de Montesinos había visto:

—A doce o catorce medidas de hombre de profundidad de esta mazmorra, a la mano derecha, hay una concavidad capaz de dar cabida a un gran carro con sus mulas. Le entra una pequeña luz por unos agujeros. Esta concavidad vi yo a tiempo cuando ya iba cansado de verme pendiente de la soga. Determiné entrar en ella y descansar un poco. Di voces pidiendo que no descolgaseis más soga hasta que yo lo dijese; pero no me oisteis. Fui recogiendo la soga que me enviabais, y haciendo de ella un montón, me senté en él, pensativo, considerando lo que debía hacer para calar al fondo, no teniendo quien me sustentase. Y estando en este pensamiento, de repente me asaltó un sueño profundísimo; y cuando menos lo pensaba, sin saber cómo y cómo no, desperté y me hallé en la mitad del más bello y delicioso prado. Me limpié los ojos y vi que no dormía. Me tenté la cabeza y el pecho, por darme cuenta si era yo mismo o algún fantasma.

Se me ofreció a la vista un real y suntuoso palacio, cuyos muros y paredes parecían transparentes. Abriéndose dos grandes puertas, vi que por ellas salía y hacia mí venía un venerable anciano. Se llegó a mí y lo primero que hizo fue abrazarme y decirme: «Largo tiempo hace, valeroso caballero don Quijote de la Mancha, que los que estamos en estas soledades encantados esperamos verte, para que des noticias al mundo de lo que encierra y cubre la profunda cueva de Montesinos. Ven conmigo, que te quiero

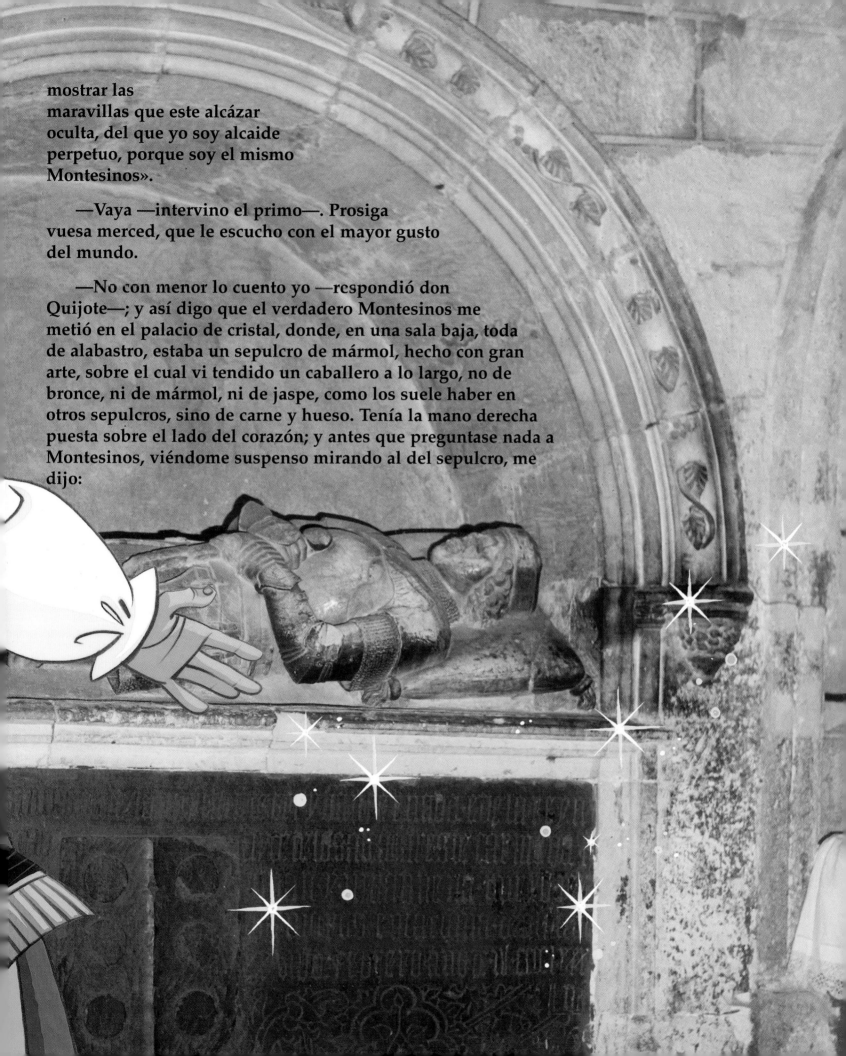

mostrar las
maravillas que este alcázar
oculta, del que yo soy alcaide
perpetuo, porque soy el mismo
Montesinos».

—Vaya —intervino el primo—. Prosiga
vuesa merced, que le escucho con el mayor gusto
del mundo.

—No con menor lo cuento yo —respondió don
Quijote—; y así digo que el verdadero Montesinos me
metió en el palacio de cristal, donde, en una sala baja, toda
de alabastro, estaba un sepulcro de mármol, hecho con gran
arte, sobre el cual vi tendido un caballero a lo largo, no de
bronce, ni de mármol, ni de jaspe, como los suele haber en
otros sepulcros, sino de carne y hueso. Tenía la mano derecha
puesta sobre el lado del corazón; y antes que preguntase nada a
Montesinos, viéndome suspenso mirando al del sepulcro, me
dijo:

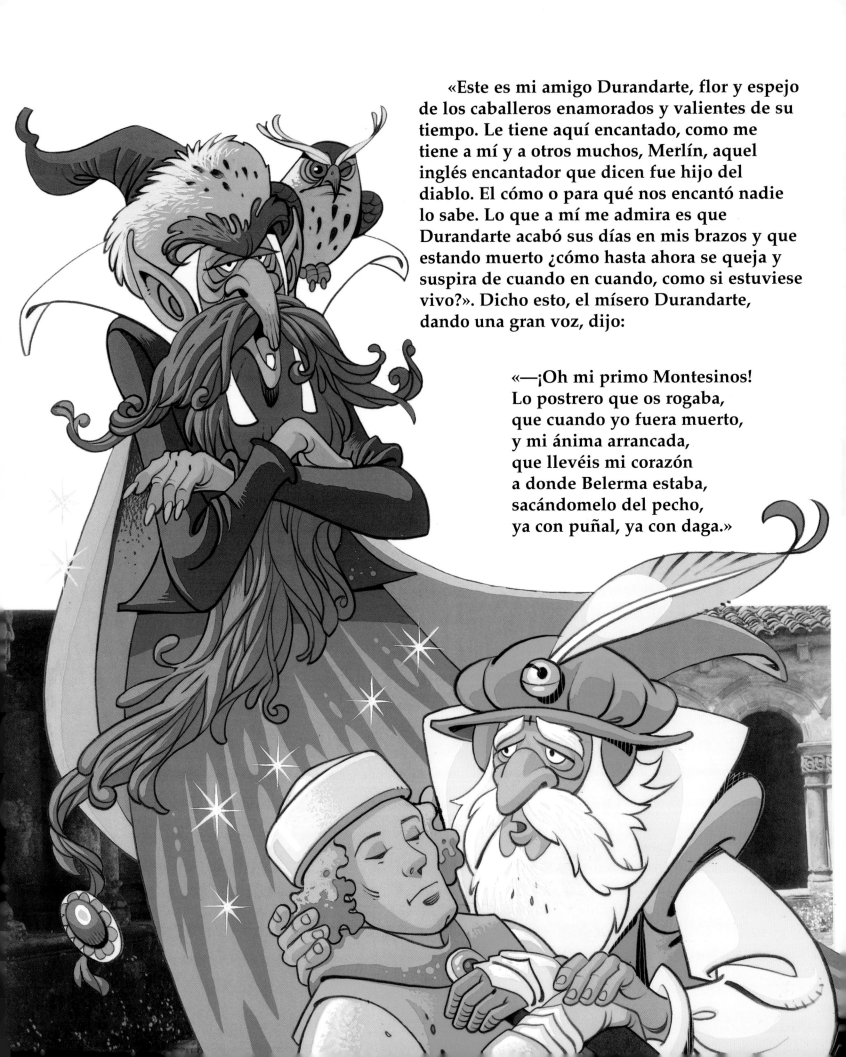

«Este es mi amigo Durandarte, flor y espejo de los caballeros enamorados y valientes de su tiempo. Le tiene aquí encantado, como me tiene a mí y a otros muchos, Merlín, aquel inglés encantador que dicen fue hijo del diablo. El cómo o para qué nos encantó nadie lo sabe. Lo que a mí me admira es que Durandarte acabó sus días en mis brazos y que estando muerto ¿cómo hasta ahora se queja y suspira de cuando en cuando, como si estuviese vivo?». Dicho esto, el mísero Durandarte, dando una gran voz, dijo:

«—¡Oh mi primo Montesinos!
Lo postrero que os rogaba,
que cuando yo fuera muerto,
y mi ánima arrancada,
que llevéis mi corazón
a donde Belerma estaba,
sacándomelo del pecho,
ya con puñal, ya con daga.»

Oyendo lo cual Montesinos se puso de rodillas ante el lastimado caballero, y con lágrimas en los ojos le dijo: «Ya, Durandarte, queridísimo primo mío, hice lo que mandaste en el desgraciado día de nuestra pérdida: yo os saqué el corazón y lo llevé a la presencia de la señora Belerma; a la cual, con vos y conmigo, y con Guadiana vuestro escudero, y con la dueña Ruidera y sus siete hijas y dos sobrinas, y con muchos de vuestros conocidos amigos, nos tiene aquí encantados el mago Merlín hace muchos años. Y aunque pasan de quinientos, no se ha muerto ninguno de nosotros: solamente faltan Ruidera y sus hijas y sobrinas, a las cuales, por compasión que debió tenerles Merlín, las convirtió en otras tantas lagunas, que ahora las llaman las lagunas de Ruidera. Y vuestro escudero Guadiana fue convertido en un río llamado

109

de su mismo nombre. Sabed que aquí tenéis en vuestra presencia aquel gran caballero de quien tantas cosas tiene profetizadas el sabio Merlín: aquel don Quijote de la Mancha, quien ha resucitado con mayores glorias que en los siglos pasados la ya olvidada andante caballería, por cuyo medio y favor podría ser que nosotros fuésemos desencantados; que las grandes hazañas para los grandes hombres son guardadas».

«—Y aun cuando así no ocurriera —respondió Durandarte—, paciencia y barajar.»

Entonces el primo dijo:

—Yo no sé, señor don Quijote, cómo vuesa merced en tan poco espacio de tiempo como ha estado allí abajo, haya visto tantas cosas y hablado y respondido tanto.

—¿Cuánto hace que bajé? —preguntó don Quijote.

—Poco más de una hora —respondió Sancho.

—Eso no puede ser —contestó don Quijote—, porque allá me anocheció y amaneció, y tornó a anochecer y amanecer tres veces; de modo que, a mi cuenta, tres días he estado en aquellas remotas y escondidas partes.

—Perdóneme vuesa merced —dijo Sancho—, señor mío, si le digo que de todo cuanto aquí ha dicho, lléveme Dios (que iba a decir el diablo) si le creo cosa alguna.

—¿Cómo no? —dijo el primo—. Pues ¿habría de mentir el señor don Quijote, que, aunque quisiera, no ha tenido ocasión para componer e imaginar un millón de mentiras?

—Yo no creo que mi señor miente —replicó Sancho.

—Si no, ¿qué crees? —le preguntó don Quijote.

—Creo —dijo Sancho— que aquel Merlín o aquellos encantadores que encantaron a toda la chusma que vuesa merced dice que ha visto allá abajo, le encajaron en la imaginación toda esa historia que nos ha contado, y todo aquello que por contar le queda.

—Todo eso pudiera ser, Sancho —contestó don Quijote—; pero no es así, porque lo que he contado lo vi con mis propios ojos y lo toqué con mis propias manos. Pero ¿qué dirás cuando te diga ahora cómo, entre otras infinitas cosas y maravillas que me mostró Montesinos, me señaló tres labradoras que por aquellos preciosos campos iban saltando como cabras, y apenas las hube visto, cuando conocí ser una la sin par Dulcinea del Toboso, y las otras dos aquellas mismas labradoras que venían con ella, que hallamos a la salida del Toboso? Pregunté a Montesinos si las conocía y me contestó que no; pero que él imaginaba que debían de ser algunas señoras principales encantadas, que pocos días antes habían aparecido en aquellos prados.

Cuando Sancho oyó decir esto a su amo, creyó perder el juicio o morirse de risa. Que como sabía la verdad del fingido encanto de Dulcinea, acabó por conocer indudablemente que su señor estaba fuera de juicio, y así le dijo:

—Dígame vuesa merced, ¿en qué conoció a la señora nuestra ama? Y si le habló, ¿qué le dijo y qué respondió?

—La conocí —contestó don Quijote— en que trae los mismos vestidos que traía cuando tú me la mostraste. Le hablé, pero no me respondió palabra. Antes me volvió las espaldas y se fue huyendo. Quise seguirla, pero me aconsejó Montesinos que no me cansase en ello, porque sería en balde. Me dijo, asimismo, que me daría aviso cómo habían de ser desencantados él, Belerma y Durandarte, con todos los que allí estaban.

—¡Oh, santo Dios! —dijo en ese momento Sancho—. ¿Es posible que tengan tanto poder los encantadores para trocar el buen juicio de mi señor en una tan disparatada locura?

—Como me quieres bien, Sancho, hablas de esa manera —dijo don Quijote—; y como no tienes experiencia en las cosas del mundo, aquellas que tienen algo de dificultad te parecen imposibles. Pero andando el tiempo yo te contaré algunas de las que allí abajo he visto, cuya verdad no admite réplica ni disputa.

Se espantó el primo así del atrevimiento de Sancho como de la paciencia de su amo, y juzgó que del contento que tenía de haber visto a su señora Dulcinea del Toboso, aunque encantada, le nacía esa condición blanda, y dijo a don Quijote:

—Yo, señor don Quijote de la Mancha, doy por bien empleada la jornada que con vuesa merced he hecho, porque en ella he obtenido cuatro cosas. La primera, haber conocido a vuesa merced, que lo tengo a gran dicha. La segunda, haber sabido lo que se encierra en esa cueva. La tercera, entender la antigüedad de los naipes, que lo deduzco de las palabras que vuesa merced dice que dijo Durandarte a Montesinos: «Paciencia y barajar». La cuarta es haber sabido con certidumbre el nacimiento del río Guadiana, hasta ahora ignorado de las gentes.

Partieron de la cueva y llegaron a una venta cuando anochecía, y no sin gusto de Sancho, al ver que su amo la juzgó por verdadera posada, y no por castillo, como solía.

EL TITIRITERO
Y LAS ADIVINANZAS
DEL MONO

A L RATO ENTRÓ POR LA PUERTA de la venta un hombre vestido de piel de gamuza, cubierto el ojo izquierdo y casi medio carrillo con un parche de tafetán verde. Y en voz alta dijo:

—Señor huésped, ¿hay posada? Que viene aquí el mono adivino y el retablo de la libertad de Melisendra.

—Aquí está el señor maese Pedro —dijo el ventero—, buena noche se nos promete. Sea bienvenido vuesa merced, y ¿adónde están el mono y el retablo, que no los veo?

—Ya llegan cerca —respondió el tiritítero—; yo me he adelantado para saber si hay posada.

—Al mismo Duque de Alba se la quitaría yo para dársela a maese Pedro —respondió el ventero.

—¡En buena hora! —dijo el visitante—. Voy en pos de la carreta a sacar el mono y el retablo.

Don Quijote, curioso, preguntó al ventero quién era maese Pedro y qué retablo y qué mono eran esos.

—Maese Pedro —contestó el ventero— es un famoso tititero que anda representando con sus títeres una de las mejores historias que se han visto en este reino. Trae consigo un mono de rara habilidad, el cual, si le preguntan algo, escucha lo que le dicen y luego salta sobre los hombros de su amo, y le dice al oído la respuesta, que maese Pedro repite en voz alta. Dos reales lleva por cada pregunta si es que la responden.

Volvió maese Pedro y apenas le vio don Quijote, le preguntó:

116

—¿A qué nos dedicamos? ¿Qué va a ser de nosotros?

—Señor, este animal no responde de las cosas que están por venir; de las pasadas y de las presentes sabe algo.

De un brinco se le puso el mono en el hombro y, acercando la boca a su oído, comenzó a hacer como si le hablara.

Entonces, maese Pedro, poniéndose de rodillas, abrazando las piernas de don Quijote, exclamó:

—¡Abrazo estas piernas del más insigne de los caballeros andantes! ¡Oh, jamás como se debe alabado caballero don Quijote de la Mancha, brazo protector de los caídos y consuelo de los desdichados!

Pasmado quedó don Quijote, absorto Sancho, suspenso el primo, confuso el posadero. El titiritero continuó:

—¡Y tú, oh buen Sancho Panza!, el mejor escudero del mejor caballero del mundo, alégrate, que tu buena mujer Teresa está buena y en este momento está rastrillando una libra de lino y, por más señas, tiene a su lado un jarro de vino, con el que se entretiene en su trabajo.

—Eso creo yo muy bien —respondió Sancho.

—Ahora digo —intervino don Quijote— que el que lee mucho y anda mucho, ve mucho y sabe mucho. Digo esto porque ¿qué persuasión fuera bastante para persuadirme que hay monos que adivinan como lo he visto ahora con mis propios ojos? Porque yo soy el mismo don Quijote de la Mancha que este animal ha dicho.

—Y ahora quiero armar mi retablo y dar placer a cuantos están en la venta, sin paga alguna —dijo maese Pedro.

Cuando estuvo listo el retablo, todo resplandeciente de luces, maese Pedro se metió dentro de él para manejar los títeres. Un chico se puso afuera para ir indicando con una

varilla las figuras que iban
saliendo según la historia que se representaba.

Todos los huéspedes se acomodaron frente
al escenario y don Quijote y Sancho Panza en
los lugares de preferencia.

Sonaron tambores y cornetas y estallaron
salvas de artillería, y luego el chico anunció:

—Esta verdadera historia que aquí se
representa está sacada al pie de la letra de las
crónicas francesas y de los romances españoles
que andan en boca de las gentes. Trata de la
libertad que dio el señor don Gaiferos a su
esposa Melisendra, que estaba cautiva de los
moros en España, en la ciudad de Sansueña,
que así se llamaba entonces lo que hoy se

121

llama Zaragoza. Y miren aquel moro que es el Rey Marsilio que la tiene prisionera. Mas esta figura que aparece a caballo es don Gaiferos, que charla con su esposa, que ahora se descuelga del balcón para ponerse en las ancas del caballo de su esposo. Pero, ¡ay, mala suerte! ¡Se le enredó la falda en un hierro del balcón y se queda colgando en el aire sin poder llegar al suelo! En este momento llega don Gaiferos y, sin reparar en que puede romperse la rica falda, toma a Melisendra, la monta sobre el caballo y le indica que se sujete fuertemente para no caerse. ¡Miren cómo relincha el caballo y cómo abandona la ciudad! Pero ya han avisado al Rey Marsilio de la huida y vean cuánta caballería sale de la ciudad para perseguir a los esposos. ¡Me temo que los van a alcanzar y hacer retornar atados a la cola de su mismo caballo, lo cual ha de ser un horrendo espectáculo!

En esto don Quijote, pareciéndole bien que debía dar ayuda a los que huían, se puso de pie y en voz alta dijo:

—¡No consentiré yo que en mi presencia se engañe a tan famoso caballero y a tan atrevido enamorado como don Gaiferos! ¡Deteneos, canallas; no le sigáis ni persigáis; si no, conmigo sois en batalla!

Y diciendo y haciendo, desenvainó la espada y de un brinco se puso al pie del retablo y con gran furia comenzó a dar cuchilladas sobre los títeres, derribando a unos, descabezando a otros, estropeando a éste, destrozando a aquél y, entre otras muchas, dio una estocada tal, que si maese Pedro no se agacha y se esconde, le atraviesa el cuello.

Maese Pedro daba voces diciendo:

—¡Deténgase vuesa merced, señor don Quijote! ¡Advierta que estos que derriba, destroza y mata, no son verdaderos moros, sino figurillas de pasta! ¡Mire que me destruye y echa a perder mi hacienda!

Pero no por eso don Quijote dejaba de lanzar cuchilladas, mandobles, tajos y reveses como llovidos. Finalmente, en menos de dos credos, dio con el retablo en el suelo, hechas pedazos y desmenuzadas sus figuras.

Todos los presentes se alarmaron; el mono huyó por los tejados de la posada; temió el primo; y hasta el mismo Sancho Panza tuvo pavor, porque no había visto a su señor con tan desatinada cólera.

Hecho añicos el retablo, sosegóse un poco don Quijote, y dijo:

—¡Quisiera tener aquí delante a todos aquellos que no crean de cuánto provecho son en el mundo los caballeros andantes! ¡Qué hubiera sido de don Gaiferos y de la hermosa Melisendra si no me hallara yo presente! ¡Seguro que los habrían alcanzado estos perros y les hubieran hecho algún desaguisado! En resolución, ¡viva la caballería andante sobre cuantas cosas hay en la tierra!

—¡Viva en buena hora! —dijo entonces con voz enfermiza maese Pedro— y muera yo, pues soy tan desdichado, que no hace media hora me vi señor de reyes y emperadores, y ahora me veo pobre y mendigo, y, sobre todo, sin mono.

Enterneció se Sancho con las razones de maese Pedro, y díjole:

—¡No llores, maese Pedro, ni te lamentes, que me quiebras el corazón! ¡Mira que cuando mi señor don Quijote, que es escrupuloso cristiano, se dé cuenta del daño que te ha hecho, te pagará con muchas ventajas!

—Con que me pagase el señor don Quijote alguna parte de lo deshecho, quedaría contento yo, y su merced aseguraría su conciencia en paz; porque no se puede salvar quien toma lo ajeno contra su voluntad de su dueño y no lo restituye.

—Así es —dijo don Quijote—; pero hasta ahora no veo que tenga nada vuestro, maese Pedro.

—¿Cómo no? —respondió maese Pedro—. ¿Y estas reliquias que están por este suelo? ¿Quién las esparció sino la fuerza invencible de ese poderoso brazo? ¿Y de quién eran sus cuerpos sino míos? ¿Y con quién me sustentaba yo sino con ellos?

—Ahora entiendo —dijo don Quijote—, mejor que nunca, que los encantadores ponen las figuras ante mis ojos y luego las cambian en las que ellos quieren. Realmente, señores, a mí me pareció que todo lo que aquí pasaba era al pie de la letra; que Melisendra era Melisendra; don Gaiferos, don Gaiferos; Marsilio, Marsilio. Por eso quise ayudar a los que huían, y si me ha salido al revés, no es culpa mía, sino de los encantadores que me persiguen. Con todo eso, me comprometo a pagar de buena moneda las figuras deshechas.

Se inclinó maese Pedro diciéndole:

—No esperaba yo menos de la inaudita cristiandad del valeroso don Quijote de la Mancha, verdadero amparo de todos los desdichados. El posadero y el gran Sancho serán mediadores y apreciarán lo que valen las desdichadas figuras.

Maese Pedro fue poniendo precio a cada figura destrozada, y los dos jueces iban moderándolo, hasta llegar a sumar cuarenta reales y tres cuartillos. Además pidió maese Pedro dos reales por el trabajo de tener que buscar al mono.

Por fin la borrasca del retablo se acabó y todos cenaron en paz y buena armonía.

Don Quijote y Sancho Panza, a la mañana siguiente, dejaron la posada y volvieron a ponerse en camino.

Nos falta decir quén era maese Pedro y cómo se las arreglaba para que su mono adivinara el pasado y el presente. Traeremos al recuerdo que en la primera parte de esta historia, Ginés de Pasamonte, a quien, entre otros galeotes, dio libertad don Quijote, temeroso de ser hallado por la justicia, se cubrió el ojo izquierdo con un tafetán verde y aprendió el oficio de titiritero.

Ginés de Pasamonte, o Ginesillo de Parapilla, compró el mono a unos cristianos que venían de Berbería. Le enseñó a subirse sobre su hombro y a murmurar a su oído cuando le hiciera convenida señal.

Antes de ingresar a un pueblo con su retablo y su mono, tomaba informes de cuanto había sucedido en aquel pueblo, y luego mostraba su retablo y representaba a veces una historia y otras veces otra.

Luego ponía en juego las habilidades de su mono, y como repetía las cosas ya averiguadas previamente, adquiría fama, y todos quedaban asombrados.

Cuando entró en la posada en que estaba don Quijote con Sancho, los reconoció, por lo cual le fue fácil dejarlos asombrados. Aunque le hubiera costado caro si no se agacha cuando don Quijote atravesó la cabeza del rey Marsilio de una estocada y destrozó su caballería.

LAS AVENTURAS
EN EL CASTILLO
DEL DUQUE

AL PONERSE EL SOL y salir de una selva, tendió don Quijote la vista por un verde prado, viendo al final de él gente. Al acercarse comprobaron que eran cazadores y que entre esa gente venía una hermosa señora, montada sobre un blanquísimo caballo con la silla de plata. Viéndola dijo don Quijote a Sancho:

—Corre, Sancho, hijo, y di a aquella señora que yo beso las manos de su hermosura y que iré a servirla con todas mis fuerzas si su Alteza me lo concede. Y mira, Sancho, cómo hablas, y ten cuidado de no encajar algún refrán de los tuyos.

—¡A mí con eso! ¡Si no es la primera vez que llevo embajadas a altas señoras en esta vida!

Partió Sancho a la carrera, sacando de su paso al rucio, y llegó donde la bella cazadora estaba; y apeándose, puesto de hinojos ante ella, le dijo:

—Hermosa señora: aquel caballero llamado don Quijote es mi amo, y yo soy su escudero, a quien llaman en su casa Sancho Panza. Este caballero, que no hace mucho se llamaba el de la Triste Figura, me manda a decir a vuestra grandeza le dé licencia para que él venga a servir a vuestra encumbrada hermosura.

—Levantaos, amigo, y decid a vuestro señor que venga a verme y a servirse de mí y del Duque, mi esposo, en una casa de placer que aquí tenemos.

Se levantó Sancho, admirado así de la hermosura de la buena señora, como de su cortesía.

Le preguntó la Duquesa:

—Decidme, escudero: este vuestro señor, ¿no es uno de quien anda impresa una historia que se llama *El Ingenioso Hidalgo don Quijote de La Mancha*?, y que tiene por señora de su alma a una Dulcinea del Toboso?

—El mismo es, señora —respondió Sancho—, y aquel escudero que debe de andar en tal historia soy yo.

Sancho volvió donde su amo para contarle lo que la bella señora le había dicho.

Don Quijote se afirmó en los estribos, se acomodó la visera y arremetió a Rocinante para ir a besar las manos de la Duquesa, la cual, haciendo llamar a su marido, le contó la embajada de don Quijote. Y los dos, por haber leído la primera parte de esta historia y haber entendido por ella el disparatado humor de don Quijote, quisieron seguirle la broma, tratándole como caballero andante el tiempo que estuviese con ellos.

Inmensa era la alegría de Sancho porque se imaginaba que iba a encontrar en ese castillo la buena vida.

Antes de llegar se adelantó el Duque y dio órdenes a sus criados del modo que tenían que tratar a don Quijote.

Al entrar en un gran patio del castillo, llegaron dos hermosas doncellas que echaron sobre los hombros de don Quijote un gran manto escarlata. Los corredores se llenaron de criados y criadas que gritaban:

—¡Bienvenido sea aquí la flor y nata de los caballeros andantes!

Y la mayoría derramaban pomos de aguas olorosas sobre don Quijote y los Duques, de lo cual se admiraba don Quijote, por verse tratado por vez primera como había leído que se trataba a los caballeros andantes en los siglos pasados.

Luego entraron a una sala adornada de telas de oro y brocados, donde seis doncellas desarmaron a don Quijote y sirvieron de pajes, todas advertidas de los Duques de lo que tenían que hacer y de cómo tenían que tratarlo. En seguida doce pajes lo llevaron a otra sala donde estaba puesta una rica mesa con cuatro cubiertos.

Los Duques recibieron a don Quijote en la puerta de la sala, y con ellos se encontraba un eclesiástico de esos que gobiernan las casas de los príncipes.

El Duque invitó a don Quijote a sentarse a la cabecera de la mesa; enfrente se sentó el eclesiástico y a los dos lados los Duques.

A todo esto Sancho estaba atónito de ver la honra que aquellos príncipes le hacían a su señor.

La Duquesa preguntó a don Quijote qué noticias tenía de la señora Dulcinea, y si le había enviado recientemente algunos presentes de gigantes o malandrines, puesto que con seguridad había vencido a muchos.

—Señora mía —contestó don Quijote—, ¡mis desgracias tienen principio pero no fin! He vencido gigantes y le he enviado malandrines; pero ¿cómo iban a encontrarla si está encantada y convertida en la más fea labradora que imaginar se puede?

—A mí me parece la más hermosa criatura del mundo —dijo Sancho—. Al menos en su ligereza y en saltar.

Mas el eclesiástico, al oír hablar de gigantes y de encantos, cayó en la cuenta de que aquél debía de ser don Quijote de La Mancha, cuya historia leía el Duque a menudo, y con no reprimida cólera exclamó:

—¡Alma de cántaro! ¿Quién te ha metido en el cerebro que eres un caballero andante y que vences a gigantes y malandrines? ¡Regresa a tu casa, incauto, cría a tus hijos, si los tienes, y atiende tu hacienda! ¡Y déjate de vagar por el mundo comiendo viento y haciendo reír a quienes te conocen y no te conocen!

133

Púsose don Quijote de pie y temblando de los pies a la cabeza, dijo:

—¡El respeto que tengo al estado que vuesa merced profesa, ata las manos a mi justo enojo! Pero dígame vuestra merced: ¿por qué me manda que vaya a ocuparme de mi mujer y de mis hijos sin saber si los tengo? ¿Y cree tiempo mal empleado vagar por el mundo, no buscando regalos, sino sus asperezas? Yo camino por la senda angosta de la caballería andante: he enderezado injusticias, satisfecho agravios, castigado insolencias y vencido gigantes. Mi propósito es hacer el bien a todos y el mal a nadie. Y si el que esto hace, y entiende, merece ser llamado tonto, ¡díganlo vuestras grandezas, Duque y Duquesa excelentes!

—¡No añada más vuestra merced en su defensa, señor mío —dijo Sancho—, porque no hay más que decir, ni más que preservar en el mundo!

—Por casualidad, hermano —preguntó entonces el eclesiástico—, ¿tú eres aquel Sancho Panza a quien dicen que tu amo tiene prometida una isla?

—Así es —respondió Sancho—. Yo soy de los «quien a buen árbol se arrima, buena sombra lo cobija». Me he arrimado a un señor y seré como él. ¡Ni a él le faltarán imperios que mandar ni a mí islas que gobernar!

—No te faltará, por cierto, Sancho amigo —intervino entonces el duque—, porque yo, en nombre del señor don Quijote, te doy el gobierno de una isla que tengo.

—Arrodíllate, Sancho —ordenó don Quijote—, y besa los pies de su excelencia por el favor que te concede.

Lo hizo así Sancho, pero el eclesiástico se levantó de la mesa, diciendo:

—¡Si serán locos, que los cuerdos confirman sus locuras! ¡Quédese vuestra excelencia con ellos, que mientras estén en su casa, yo estaré mejor en la mía!

Y sin añadir más, se fue sin hacerse detener por los ruegos del Duque y las súplicas de la Duquesa.

Cuando cesó la plática, don Quijote se fue a reposar la siesta. El Duque dio nuevas órdenes para el trato a don Quijote, sin salirse nada del estilo como cuentan que se trataba a los antiguos caballeros.

Viaje sobre el caballo Clavileño

TENÍA EL DUQUE UN MAYORDOMO de muy burlesco y desenfadado ingenio, al que se le ocurrió la más graciosa burla que se pueda imaginar.

Cuando los Duques descansaban en su jardín, una tarde entraron doce doncellas distribuidas en dos filas. Por detrás venía una señora y todas llevaban el rostro cubierto con un velo negro que no dejaba traslucir nada.

—Señor poderosísimo, hermosísima señora —dijo la dama—, he venido hasta aquí para hallar al valerosísimo don Quijote de la Mancha y al escuderísimo Sancho.

—El Panza —intervino Sancho— aquí está, soy yo. Y el Quijotísimo también. Podrá así, dolorosísima señora, decir lo que quisieridísimis; que estamos todos preparados y aparejadísimos para ser sus servidorísimos.

En esto se levantó don Quijote:

—Yo soy don Quijote de la Mancha y mis oídos escuchan sus males para poderlos remediar.

Entonces la señor empezó:

—Yo soy la Duquesa Trifaldi y vengo desde el famoso reino de Candaya, donde se crió bajo mi tutela la infanta Antonomasia. Cuando ésta creció se enamoró perdidamente de ella un mozo que se llamaba don Clavijo y ella consintió en ser su esposa. El único inconveniente era que don Clavijo era sólo caballero, mientras que la infanta era heredera del trono.

Resulta que para castigar el atrevimiento de don Clavijo, apareció montado en un caballo de madera el gigante Malambruno, que era, además, encantador, y con sus artes la convirtió a ella en una mona de bronce y a él en un cocodrilo de metal. Y luego colocó entre los dos un cartel que decía: «No recobrarán sus antiguas formas estos atrevidos hasta que el valeroso manchego venga a las manos conmigo en singular batalla». Luego hizo traer a todas las doncellas del palacio, que aquí veis, a quienes también quería castigar, no con la pena capital sino con otras que nos diesen una muerte continua. Y en el mismo instante sentimos que se nos abrían los poros de la cara y que nos punzaban con agujas. Nos tocamos los rostros con las manos y nos encontramos como ahora verán.

Y la Condesa Trifaldi y las doncellas alzaron sus velos y mostraron sus rostros cubiertos de barbas.

Todos quedaron pasmados a su vista, y don Quijote anunció:

—¡Juro pelar mis barbas, si no consigo pelar las suyas!

—Su promesa, valeroso caballero, me devuelve la esperanza —dijo la Trifaldi, y añadió—: Dijo Malambruno que cuando yo encontrara a nuestro libertador, él mandaría a buscarlo con un caballo de madera, que vuela tan rápido que parece que los mismos diablos lo llevaran. De modo que el tal caballo llegará antes de que venga la noche.

—¿Cuántos caben en ese caballo? —preguntó Sancho.

—Dos personas: una en la silla y la otra en las ancas. Y, generalmente, esas personas son un caballero y su escudero.

—¿Qué nombre tiene ese caballo? —continuó Sancho.

—Se llama Clavileño el Alígero, por ser de leño y con una clavija en la frente que le sirve de freno.

—No me desagrada el nombre —dijo Sancho—. Pero pensar que tengo que subir a él es pedir peras al olmo, pues apenas puedo tenerme sobre mi asno.

—Sancho hará lo que yo le mande, señora Trifaldi y compañía —aseguró don Quijote—. ¡Y no habrá navaja que rape a vuestras mercedes como mi espada, que rapará de sus hombros la cabeza de Malambruno!

—¡Que las estrellas infundan valor a vuestro ánimo! —exclamó la Trifaldi—. ¡Oh, gigante Malambruno, mándanos ya a Clavileño para que cese nuestra desgracia!

Esto lo dijo con tanto sentimiento, que arrancó lágrimas de los ojos de todos y hasta arrasó los de Sancho, quien se propuso acompañar a su señor hasta el fin del mundo, si así podía quitar las barbas de aquellos rostros.

En esto llegó la noche y entraron en el jardín cuatro salvajes, todos vestidos de verde, que traían sobre sus hombros un gran caballo de madera. Pusiéronlo en el suelo, y uno de los salvajes dijo:

—Que suba sobre esta máquina el caballero que tenga ánimo para ello.

—No subo yo —dijo Sancho—, porque ni tengo ánimo ni soy caballero.

Pero el salvaje siguió diciendo:

—Que el escudero ocupe las ancas. No hay más que tocar esta clavija y el caballo los llevará por los aires, adonde los atenderá Malambruno. Pero para que la altura no les cause vértigo, deberán cubrirse los ojos hasta que el caballo relinche.

Y dicho esto se retiraron por donde habían venido.

Don Quijote sacó un pañuelo y pidió a la Trifaldi que lo vendara. Luego subió sobre Clavileño.

Contra su voluntad subió Sancho, acomodándose lo mejor que pudo sobre las ancas, que halló algo duras, y se dejó vendar también los ojos.

En esto don Quijote tocó la clavija y, apenas hubo puesto los dedos sobre ella, las doncellas gritaron:

—¡Dios te guíe, valeroso caballero!

—¡Dios sea contigo, intrépido escudero!

—¡Ya vais por los aires, rompiéndolos con más velocidad que una saeta!

—¡Ya están suspendidos y comienzan a volar!

—¡Agárrate, valeroso Sancho, que te bamboleas! ¡No te vayas a caer, que tu caída sería terrible!

Apretándose contra su amo, dijo Sancho:

—Señor, ¿cómo dicen que vamos tan alto si sus voces llegan hasta nosotros como si estuvieran cerca?

—¡No repares en eso, Sancho! ¡Destierra el miedo, que todo va viento en popa! —exclamó don Quijote.

—¡Así es! —respondió Sancho—. ¡Por este lado me da un viento tan fuerte, que parece que me están soplando con mil fuelles!

Y era así, pues los que los rodeaban les estaban haciendo aire con unos grandes fuelles.

Sintiéndose soplar, don Quijote habló muy creído:

—Sin duda llegamos a la segunda región del aire, donde se forman el granizo y la nieve; pues los truenos, rayos y relámpagos se forman en la tercera región y, si vamos subiendo en esta forma, llegaremos a la región del fuego. Y no sé yo cómo mover esta clavija para que no subamos donde nos abrasemos.

En esto les calentaban los rostros con unas estopas encendidas, atadas a unas cañas. Al sentir el calor, exclamó Sancho:

—Que me maten si no estamos ya en la región del fuego, porque una parte de mi barba se me ha chamuscado. Y estoy, señor, por descubrirme los ojos para ver dónde estamos.

—¡No hagas eso! —advirtió don Quijote—. El gigante Malambruno se encargará de nosotros!

El Duque y la Duquesa y quienes estaban en el jardín oían todo esto, y se regocijaban mucho. Y queriendo rematar la aventura, pegaron fuego a la cola de Clavileño.

Al instante, el caballo, que estaba lleno de cohetes tronadores, voló por los aires con ruidos extraños, arrojando al suelo, medio chamuscados, a don Quijote y Sancho Panza.

Mientras tanto, habían desaparecido el barbado escuadrón de doncellas y la Trifaldi, y los demás quedaron tendidos en el suelo fingiendo desmayo.

Don Quijote y Sancho se levantaron maltrechos y quedaron atónitos de verse en el mismo jardín de donde habían partido y de ver tanta gente tendida en el suelo. Don Quijote se asombró más cuando vio clavada en tierra una lanza de la que pendía un letrero que tenía escrito con letras de oro: «El ínclito caballero don Quijote de la Mancha acabó la aventura de la condesa

Trifaldi con sólo intentarla. Malambruno se da por satisfecho y las barbas de las doncellas ya quedan peladas, y los reyes don Clavijo y doña Antonomasia vuelven a ser lo que eran antes».

Contento don Quijote de haber acabado tan grande aventura con tan poco peligro, fue a prestar ayuda a los Duques, que estaban desmayados.

El Duque volvió en sí poco a poco; luego la Duquesa y todos los demás, dando muestras de maravilla y espanto, como si hubiera acontecido todo de veras.

El Duque leyó el cartel con los ojos medio cerrados, y luego fue a abrazar a don Quijote, diciéndole que era el mejor caballero de todos los siglos.

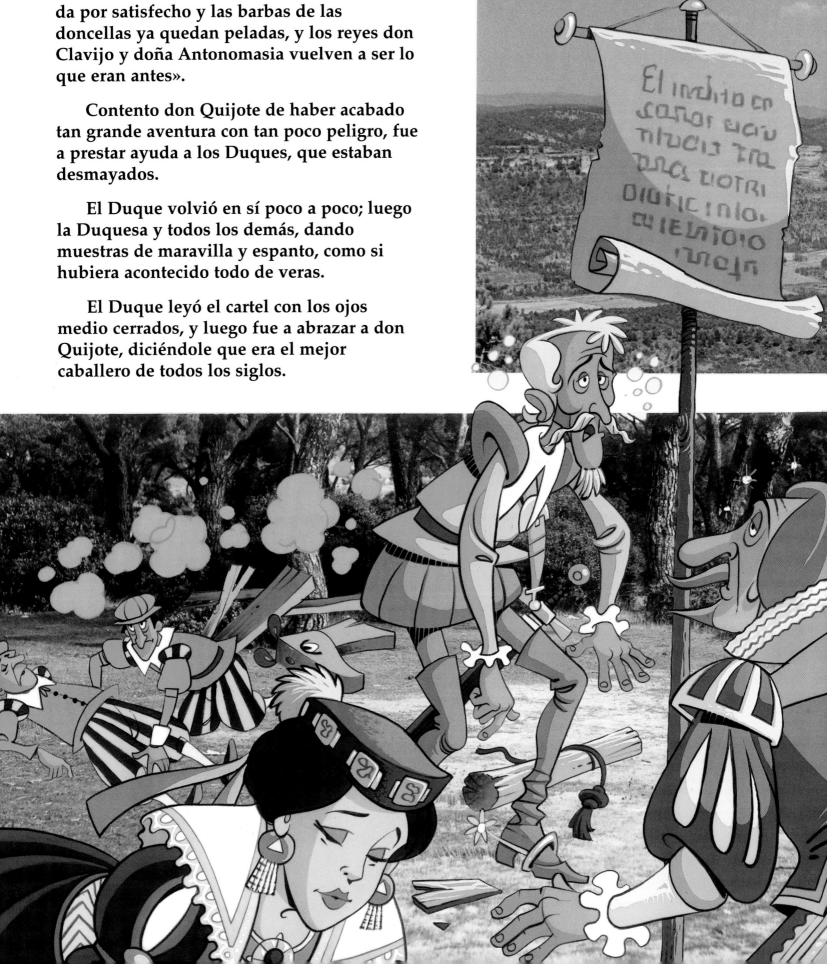

La Duquesa preguntó a Sancho cómo le había ido en aquel largo viaje. A lo cual respondió Sancho:

—Yo, señora, sentí que íbamos volando por la región del fuego y quise descubrirme los ojos; pero mi amo no lo consintió y yo, que soy curioso, aparté un poco el pañuelo al lado de la nariz y miré hacia la Tierra. Y me pareció que no era mayor que un grano de mostaza y que los hombres que andaban sobre ella, eran poco mayores que una avellana, con lo cual supimos que íbamos a gran altura.

Don Quijote dijo:

—De mí puedo decir que no me descubrí ni un poco, ni vi el cielo, ni la Tierra, ni el mar, ni las sirenas. Pero sentí que pasábamos por la región del aire y que pasábamos la del fuego.

149

Quedaron tan contentos los Duques con los sucesos anteriores, que determinaron seguir la burla, y dando órdenes a sus criados y vasallos de cómo debían comportarse con Sancho en el gobierno de la isla prometida, le notificaron para que se arreglara para ser gobernador, porque sus vasallos isleños le estaban aguardando.

—Vístanme —dijo Sancho— como quieran; que de cualquier manera que vaya vestido, siempre seré Sancho.

—Cierto —dijo el Duque—; pero los trajes se han de acomodar con el oficio o dignidad que se profesa; que no sería bien que un juez se vistiese como un soldado, ni un soldado como un sacerdote. Vos, Sancho, iréis vestido parte de letrado y parte de capitán, porque en la isla que os doy, son necesarias tanto las letras como las armas.

—Letras —respondió Sancho—, pocas tengo, porque aún no sé el abecé. De las armas manejaré las que me dieren, y que sea lo que Dios quiera.

Comportamiento de Sancho en su gobierno

CUANDO TODO ESTUVO LISTO para el viaje de Sancho Panza a su isla, se despidió éste de don Quijote y de los Duques. Recibió la bendición de su señor, que se la dio con lágrimas en los ojos, y Sancho la recibió con pucheros.

Salió Sancho a caballo acompañado de un mayordomo del Duque. Iba detrás de él su asno con adornos de seda, y a cada rato volvía la cabeza para mirarlo.

Con todo su acompañamiento llegó Sancho a un lugar de unos mil vecinos, que eran de los mejores que tenía el Duque. Le dieron a entender que se llamaba la ínsula Barataria.

Al llegar a las puertas de la villa, que era cercada, salió el pueblo a recibirle. Tocaron las campanas y todos los vecinos dieron muestras de general alegría, y con mucha pompa lo llevaron a la iglesia a dar gracias a Dios, y luego, con algunas ridículas ceremonias, le entregaron las llaves del pueblo y le admitieron por perpetuo Gobernador de la isla de Barataria.

Finalmente, sacándolo del templo, lo llevaron a la silla del Juzgado y lo sentaron en ella, y el mayordomo del Duque le dijo:

—Es costumbre antigua de esta isla, señor gobernador, que quien viene a tomar posesión de ella, está obligado a responder a una pregunta que se le haga, que sea algo intrincada y dificultosa, de cuya respuesta el pueblo toma pulso del ingenio del nuevo gobernador, y así se alegra o entristece con su venida.

—Pues adelante —dijo Sancho—, que yo responderé lo mejor que pueda, se entristezca o no el pueblo.

Se presentaron dos hombres ancianos: el uno traía una especie de caña por bastón y el otro nada. El segundo dijo:

—Señor: a este buen hombre le presté hace días diez escudos de oro con la condición de que me los devolviera cuando se los pidiera. Pasaron muchos días sin que se los pidiera, y pareciéndome que se descuidaba en la paga, se los he pedido una y muchas veces. ¡Y no solamente no me los devuelve, sino que niega el habérselos prestado, y que si se los presté ya me los ha devuelto! Yo no tengo testigos y quisiera que vuestra merced le tome juramento, y si jurase que me los ha devuelto, yo se los perdono.

—¿Qué decís a esto, buen viejo del bastón? —preguntó Sancho.

—Yo, señor —dijo el viejo, confieso que me los prestó. Y puesto que lo confía a mi juramento, baje vuestra merced esa vara y juraré sobre ella que se los he devuelto.

Bajó el gobernador la vara, y en tanto el viejo del bastón daba éste al otro viejo, para que se lo agarrase mientras juraba, como si a él le molestara mucho. Luego puso las manos en la cruz de la vara diciendo que era verdad que le había prestado esos diez escudos, pero que se los había devuelto en sus propias manos.

154

El gobernador preguntó al acreedor qué respondía a lo que decía su contrario. Él dijo que su deudor debía decir la verdad, porque lo tenía por un hombre de bien, y que a él se le debía haber olvidado cómo y cuándo se los había devuelto, y que de allí en adelante jamás le pediría nada.

Volvió a tomar su bastón el deudor y, bajando la cabeza, salió del Juzgado; visto lo cual por Sancho, y que sin más ni más se iba, y viendo también la paciencia del denunciante, inclinó la cabeza sobre el pecho y, poniéndose el índice de la mano derecha sobre las cejas y las narices, estuvo pensativo un rato. Luego alzó la cabeza y mandó que llamasen al viejo del bastón, que ya se había marchado.

Se lo trajeron y, viéndolo, le dijo:

—Dadme, buen hombre, ese bastón, que lo necesito.

—De muy buena gana —respondió el viejo—, aquí está, señor.

Y se lo puso en la mano. Lo tomó Sancho, y dándoselo al otro viejo, le dijo:

—¡Andad con Dios, que ya vais pagado!

—¿Yo, señor? —respondió el viejo—. Pues ¿vale esta caña diez escudos de oro?

—¡Sí! —dijo el gobernador—; o si no, yo soy el mayor ceporro del mundo. Y ahora se verá si tengo yo talento para gobernar todo un reino.

Y mandó que allí, delante de todos, se rompiese y abriese la caña. Así, se hizo, y en el corazón de la caña hallaron diez escudos de oro. Quedaron todos asombrados y tuvieron a su gobernador por un nuevo

Salomón. Y le preguntaron de dónde había inferido que en aquella caña estaban los diez escudos. Respondió Sancho que al ver que el viejo le daba la caña al otro mientras juraba que le había dado los diez escudos, y que se la volvía a pedir después de jurar, se imaginó que adentro estaba el dinero.

Finalmente se fueron, un viejo avergonzado y el otro pagado, y los presentes quedaron admirados de la discreción de su nuevo gobernador.

Desde el Juzgado llevaron a Sancho Panza a un suntuoso palacio, adonde en una gran sala estaba puesta una real y limpia mesa.

Apenas Sancho entró en la sala, sonaron unos clarines y salieron cuatro pajes a recibirlo. Cesó la música, sentóse Sancho a la cabecera de la mesa, pues no había otro asiento que ése. Levantaron un blanco mantel que cubría gran diversidad de platos y manjares, y un paje le puso un babero de encaje. Otro le puso delante un frutero, pero apenas hubo mordido una fruta, un personaje que de pie estaba a su lado tocó el plato con una varilla y se lo quitaron velozmente.

El mayordomo le trajo otro plato con otro manjar. Iba a probarlo Sancho; pero antes que llegase a él, ya la varilla había tocado el plato y un paje lo alzó con tanta presteza como el de la fruta. Sancho quedó suspenso, y mirando a todos, preguntó si se trataba de un juego.

El de la varilla respondió:

—No se ha de comer, señor gobernador, sino como es uso y costumbre. Yo, señor, soy médico, y estoy pagado para serlo de los gobernadores de esta isla, y miro por su salud mucho más que por la mía y debo ver aquello que conviene o no a su salud. Y lo principal que hago es asistir a sus comidas y cenas, y a dejarle comer de lo que me parece sano.

—De esa manera —contestó Sancho—, aquel plato de perdices asadas, a mi parecer bien sazonado, no me hará daño alguno.

—Esas no las comerá el señor gobernador —respondió el médico—, en tanto esté vivo.

—¿Por qué? —dijo Sancho.

—Porque nuestro Hipócrates, norte y luz de la medicina, dice: «Todo hartazgo es malo; pero el de perdices, malísimo».

—Si eso es así —dijo Sancho—, vea el señor doctor qué manjares me harán provecho y déjeme comer, porque por vida del gobernador que me muero de hambre y el quitarme la comida es como quitarme la vida.

—Tiene razón vuestra merced —contestó el médico—; y así, es mi parecer que no coma de aquellos conejos guisados que allí están, porque es manjar peliagudo, ni de aquella ternera porque está adobada.

—Me parece entonces —añadió Sancho— que aquel platazo que contiene diversidad de cosas, me podrá dar algo que sea de mi gusto y provecho.

—¡No lo permita Dios! —exclamó el médico—. ¡No hay cosa peor en el mundo que un puchero!

Oyendo esto Sancho se arrimó sobre el espaldar de la silla y miró de hito en hito al médico y con voz grave le preguntó cómo se llamaba y dónde había estudiado. A lo que respondió el galeno:

—Yo, señor gobernador, me llamo Pedro Recio de Agüero, y soy natural de Tirteafuera, y tengo el grado de doctor en la Universidad de Osuna.

Sancho respondió encendido en cólera:

—¡Pues, señor doctor Pedro Recio de Mal Agüero de Tirteafuera, graduado en Osuna, quíteseme luego de delante;

si no, voto al sol que tomaré un garrote y a garrotazos no me ha de quedar médico en toda la isla. Y vuelvo a decir que se vaya, si no, tomaré esta silla y se la estrellaré en la cabeza. Y denme de comer o, si no, tómense su gobierno; que oficio que no da de comer a su dueño, no vale dos habas.

El médico se asustó al ver al gobernador tan enojado y quiso irse afuera; pero en ese momento entró el mayordomo diciendo:

160

—Viene correo del Duque, mi señor. Algún despacho de importancia debe traer.

Entró el correo asustado y sudando, y sacando un pliego del pecho, lo puso en manos del gobernador, y Sancho lo puso en las del mayordomo, a quien mandó leyese el sobre, que decía: «A don Sancho Panza, gobernador de la isla Barataria, en su propia mano o en las de su secretario». Oyendo lo cual dijo Sancho:

—¿Quién es aquí mi secretario?

—Yo, señor, porque sé leer y escribir y soy vizcaíno —dijo uno de los presentes.

—Con esta añadidura —dijo Sancho—, bien podéis ser secretario del mismo emperador. Abrid ese sobre y mirad lo que dice:

Lo hizo así el aludido y leyó: «A mi noticia ha llegado, señor don Sancho Panza, que unos enemigos míos y de esa isla le van a dar un asalto furioso no sé qué noche. Conviene velar y estar alerta, para que no le tomen desapercibido. Sé también que han entrado en ese lugar cuatro personas disfrazadas para quitaros la vida, porque se temen de vuestro ingenio. Abrid el ojo, y mirad quién llega a hablaros, y no comáis de cosa que os presentare. Yo tendré cuidado de socorrerlo si se ve en apuros. De este lugar, a 16 de agosto, a las cuatro de la mañana. Vuestro amigo: El Duque».

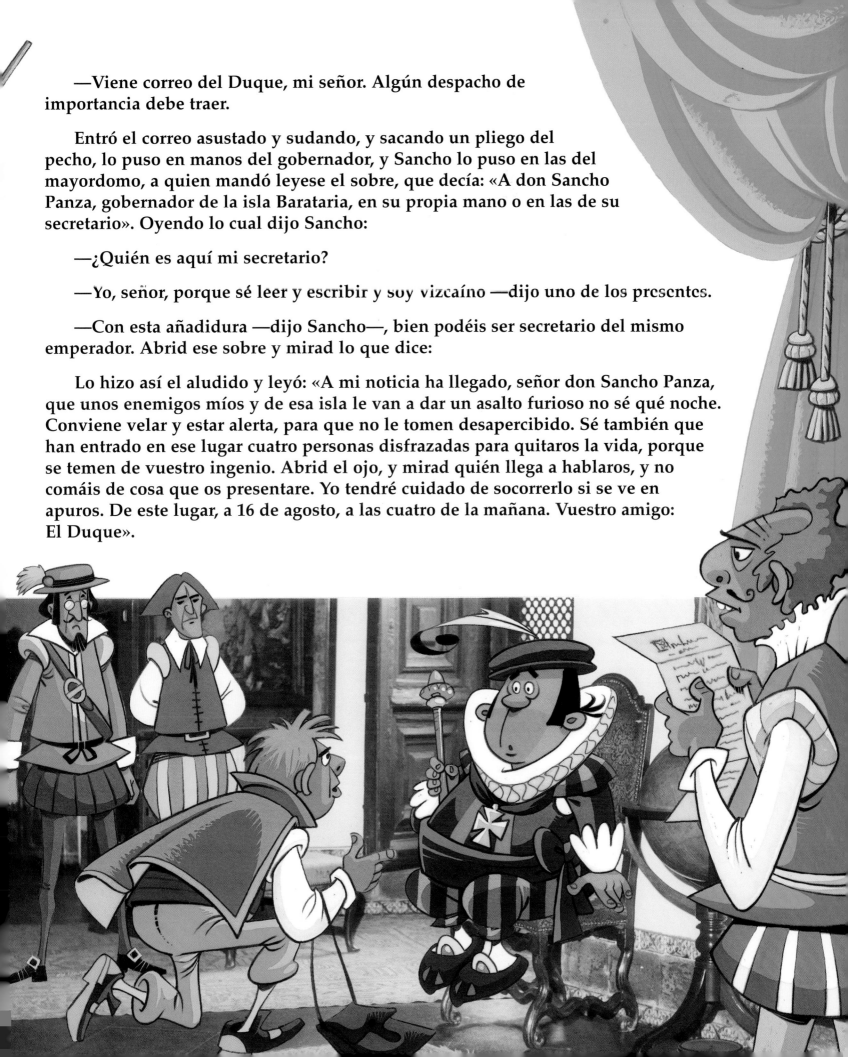

Quedó atónito Sancho y lo mismo los oyentes, y volviéndose al mayordomo, le dijo:

—Lo que hay que hacer ahora es meter en un calabozo al doctor Recio; porque si alguno me ha de matar, ha de ser él, y de hambre.

—También me parece a mí —dijo el mayordomo— que vuestra merced no coma de todo lo que está en esa mesa.

—Bueno, por ahora —dijo Sancho—, denme un pedazo de pan y cuatro libras de uvas, que en ellas no podrá venir veneno; porque no puedo estar sin comer; y si es que hemos de estar listos para estas batallas que nos amenazan, será necesario estar bien alimentados, porque tripas llevan corazón y no corazón tripas.

Fin y remate del gobierno de Sancho Panza

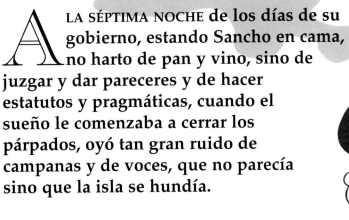

A LA SÉPTIMA NOCHE de los días de su gobierno, estando Sancho en cama, no harto de pan y vino, sino de juzgar y dar pareceres y de hacer estatutos y pragmáticas, cuando el sueño le comenzaba a cerrar los párpados, oyó tan gran ruido de campanas y de voces, que no parecía sino que la isla se hundía.

Y levantándose de la cama, se puso unas zapatillas y, sin ponerse ropa de salir de cama, se asomó a la puerta de su dormitorio, a tiempo de ver venir por unos corredores más de veinte personas con antorchas encendidas en las manos, gritando:

—¡A las armas, señor gobernador! ¡A las armas, que han entrado infinitos enemigos en la isla, y estamos perdidos si vuestro ingenio y valor no nos socorre.

Con este alboroto llegaron hasta donde estaba Sancho.

—¿Que me tengo que armar? —dijo Sancho—. ¿Y qué sé yo de armas ni de socorros? Mejor será dejar estas cosas para mi amo don Quijote, que en dos paletas las despachará y pondrá en cobro; que yo no entiendo nada de estas prisas.

—¡Ármese vuesa merced —dijo otro—, que aquí le traemos armas ofensivas y defensivas, y salga a esta plaza, y sea nuestro guía y capitán, pues de derecho le toca siendo nuestro gobernador!

—¡Ármenme! —dijo Sancho.

Y al momento le trajeron dos escudos y se los pusieron encima de la camisa, uno adelante y otro atrás, como un emparedado, y por unos agujeros le sacaron los brazos y le amarraron bien con unos cordeles, de modo que quedó entablillado, derecho como un huso, sin poder doblar las rodillas ni menearse un solo paso. Le pusieron en las manos una lanza, a la cual se arrimó para tenerse en pie.

Luego le dijeron que los guiase y animase a todos.

—¿Cómo voy a caminar, desventurado de mí —respondió Sancho—, que no puedo ni mover los huesos de mis rodillas, porque me lo impiden estas tablas? Lo que harán es llevarme en brazos, y ponerme, atravesado o en pie, en algún postigo; que yo le guardaré, o con esta lanza o con mi cuerpo.

167

—¡Ande, señor gobernador! —dijo otro—. Que más que las tablas, el miedo le impide el paso. Acabe y menéese, que es tarde, los enemigos aumentan y el peligro no cesa de crecer.

Probó el pobre gobernador a moverse, y fue a dar consigo en el suelo con golpe tan tremendo que pensó que se había hecho pedazos. Quedó como tortuga, encerrado en sus conchas.

Se apagaron las antorchas, volvieron a aumentar las voces, con tan gran prisa, pasando por encima del pobre Sancho, dándole infinitas cuchilladas sobre los escudos, que si él no se recoge metiendo la cabeza entre los escudos, muy mal lo hubiera pasado el pobre gobernador. Unos tropezaban con él, otros caían, y hubo uno que se puso encima un buen rato, y desde allí, como atalaya, gobernaba los ejércitos, y a grandes voces decía:

—¡Aquí los nuestros; que por esta parte cargan más los enemigos! ¡Aquel portillo se guarde! ¡Aquella puerta se cierre! ¡Traigan la pez y la resina en calderas de aceite hirviendo! ¡Atrincheren las calles con colchones!

El pobre Sancho escuchaba todo esto y decía:

—¡Oh, si mi Dios quisiera que se acabase ya de perder esta isla y me viese yo libre de esta angustia!

Oyó el cielo esta petición, pues cuando menos lo esperaba, oyó gritar:

—¡Victoria, victoria! ¡Los enemigos se retiran vencidos! ¡Levántese, señor gobernador!

—Levántenme —dijo con doliente voz el dolorido Sancho.

Lo ayudaron a levantarse y, puesto en pie, dijo:

—Yo no quiero repartir despojos de enemigos, sino pedir y suplicar a algún amigo, si es que lo tengo, que me dé un trago de vino, que me seco. Y que me enjugue este sudor, que me hago agua.

Le limpiaron, le trajeron vino, desatáronle los escudos, sentóse sobre su lecho, y se desmayó del terror, del sobresalto y del trabajo. Ya les pesaba a los de la burla habérsela hecho tan pesada; pero apenas Sancho volvió en sí, les disminuyó la pena que les había entrado con su desmayo.

Preguntó qué hora era y le respondieron que ya amanecía. Calló, y sin decir palabra comenzó a vestirse. Todos le miraban y esperaban en qué

había de parar la prisa con que se vestía.

Vistióse, en fin, y, poco a poco, porque estaba molido, se fue a la caballeriza, siguiéndole todos curiosos, y acercándose al asno, le dio un abrazo y un beso de paz en la frente, y con lágrimas en los ojos, le dijo:

—Ven acá, compañero y amigo mío, y conllevador de mis trabajos y miserias. Cuando no tenía otros pensamientos que los de remendar tus aparejos y sustentar tu cuerpo, dichosas eran mis horas, mis días y mis años; pero después que te dejé y me subí sobre las torres de la ambición y de la soberbia, me han entrado por el alma mil miserias, mil trabajos y cuatro mil desasosiegos.

Y en tanto iba diciendo estas razones, iba aparejando al asno, sin que nadie le dijera nada. Aparejado el asno, subió sobre él con gran dolor, y dirigiendo sus palabras y razones al mayordomo, al secretario, al doctor y a los demás, dijo:

—Abrid camino, señores míos, y dejadme volver a mi antigua libertad. Yo no nací para ser gobernador ni para defender islas de enemigos. Mejor entiendo yo de arar, cavar y podar las viñas, que de dar leyes ni de defender provincias ni reinos. Mejor me está a mí una hoz en la mano que un cetro de gobernador. Y prefiero hartarme de sopas que estar sujeto a un médico impertinente que me mate de hambre. ¡Y déjenme ir, por favor, que tengo las costillas rotas por los enemigos que esta noche pasaron sobre mí!

Todos estuvieron de acuerdo y le dejaron ir, ofreciéndole compañía y todo lo que quisiera para el viaje.

Sancho dijo que no quería más que un poco de cebada para el asno y medio queso y medio pan para él, pues como el camino era tan corto, no había necesidad de más repostería. Los abrazó a todos llorando, dejándolos admirados, así de sus razones como de su determinación tan sensata.

* * *

No quedaron arrepentidos los Duques de las burlas hechas a don Quijote y a Sancho Panza.

Al fin, le pareció a don Quijote que era conveniente salir de tanta ociosidad como la que en aquel castillo tenía, y pidió licencia un día a los Duques para dejarles.

Tras despedirse con gran sentimiento, abajó la cabeza don Quijote e hizo reverencia a los

Duques y a todos los circunstantes, y junto con Sancho, se dirigió a Barcelona.

En más de seis días no les sucedió cosa digna de ponerse en escritura. Pero una tarde, después de merendar, se vieron rodeados de más de cuarenta bandoleros, que en lengua catalana les dijeron que se esperasen, hasta que llegase su capitán. Era éste un joven de unos treinta y cuatro años, llamado Roque Guinart.

Tres días con sus noches estuvo don Quijote con Roque, y si estuviese trescientos años, no le faltara qué mirar y admirar en el modo de su vida. Allí amanecían, allá comían; unas veces huían, sin saber de quién, y otras esperaban, sin saber a quién. Dormían en pie, interrumpiendo el sueño, mudándose de un lugar a otro. Todo era poner espías y escuchar centinelas.

En fin, por caminos desusados, por atajos y sendas encubiertas, partieron Roque, don Quijote y Sancho con seis bandoleros a Barcelona. Llegaron a su playa la víspera de San Juan, por la noche, y abrazando Roque a don Quijote y Sancho, los dejó.

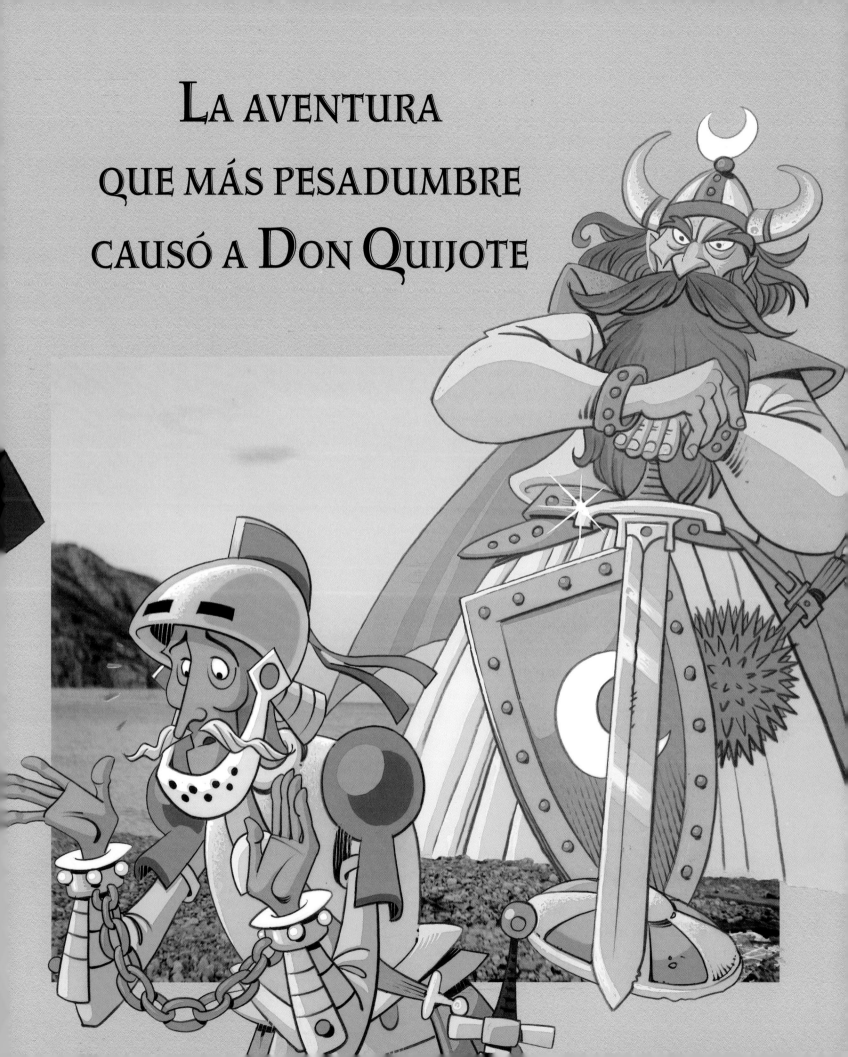

La aventura que más pesadumbre causó a Don Quijote

NA MAÑANA, saliendo don Quijote a pasearse por la playa, con todas sus armas, vio venir hacia él un caballero armado completamente, que en el escudo traía pintada una luna resplandeciente; el cual, en sitio que podía ser escuchado, dijo en voz alta:

—¡Insigne caballero y jamás, como se debe, alabado don Quijote de La Mancha! Yo soy el Caballero de la Blanca Luna, cuyas hazañas nunca oídas quizá serán conocidas. Vengo a competir contigo y a probar la fuerza de tu brazo, en razón de hacerte conocer y confesar que mi dama, sea quien fuere, es sin comparación más hermosa que tu Dulcinea del Toboso. Y si tú pelearas y yo te venciere, no quiero otra satisfacción sino que te recojas y retires a tu pueblo por tiempo de un año, donde has de vivir sin echar mano a la espada, en provechoso sosiego, porque así conviene a tu hacienda y a la salvación de tu alma. Y si tú me vencieras, quedará a tu disposición mi cabeza, y serán tuyos los despojos de mis armas y mi caballo, y pasará a la tuya la fama de mis hazañas.

Don Quijote quedó suspenso y atónito, así de la arrogancia del Caballero de la Blanca Luna, como de la causa por que le desafiaba; y con reposo y ademán severo le respondió:

—Caballero de la Blanca Luna, cuyas hazañas hasta ahora no han llegado a mis oídos, yo osaré jurar que jamás habéis visto a la ilustre Dulcinea. Que si la hubiereis visto, yo sé que procuraríais no poneros en esta demanda, porque su vista os desengañaría de que no ha habido ni

puede haber belleza que se pueda compañar con la suya. Así, con las condiciones que habéis propuesto, acepto el desafío. Tomad, pues, la parte del campo que quisiereis; que yo haré lo mismo, y a quien Dios se la diere, San Pedro se la bendiga.

Habían descubierto en la ciudad la presencia del Caballero de la Blanca Luna y habían comunicado al virrey que estaba hablando con don Quijote. El virrey salió a la playa con muchos caballeros, a tiempo cuando don Quijote volvía las riendas a Rocinante para tomar del campo la distancia.

Don Quijote y el Caballero de la Blanca Luna se arremetieron a todo correr de sus caballos; pero como el de éste era más ligero, su jinete llegó hasta don Quijote con tanta fuerza que sin tocarle con la lanza, dio con Rocinante y con su dueño por el suelo con una peligrosa caída.

Fue luego sobre él y, poniéndole la lanza sobre la visera, le dijo:

—Vencido sois, caballero, y aun muerto, si no confesáis las condiciones de nuestro desafío.

Don Quijote, molido y aturdido, sin alzarse la visera, como si hablara dentro de una tumba, dijo:

—Dulcinea del Toboso es la más hermosa mujer del mundo; y yo el más desdichado caballero de la tierra, y no es bien que mi flaqueza defraude esta verdad. ¡Aprieta, caballero, la lanza, y quítame la vida, pues me has quitado la honra!

—Eso no haré yo, por cierto —dijo el de la Blanca Luna—; viva, viva en su entereza la fama de la hermosura de la señora Dulcinea del Toboso; pero yo me contento con que el gran don Quijote se retire a su pueblo por un año, o por el tiempo que por mí le fuera mandado, como concertamos antes de entrar en esta batalla.

Dicho esto, volvió las riendas el de la Blanca Luna y haciendo una venia al virrey, a medio galope se fue a la ciudad.

177

El virrey envió a don Antonio Moreno a que lo siguiera, y que de todas maneras averiguara quién era.

Levantaron en seguida a don Quijote y le descubrieron el rostro, que estaba pálido y trasudado. Rocinante, de puro malparado, no se podía mover. Sancho, cariacontecido, no sabía qué decir ni qué hacer. Le parecía que todo este triste suceso había pasado en sueños y que era cosa de encantamiento. Veía a su señor rendido y obligado a no tomar armas por un año; imaginaba la luz de la gloria de sus hazañas oscurecida.

Cumpliendo la orden del virrey, don Antonio siguió al Caballero de la Blanca Luna hasta su alojamiento de la ciudad, quien le dijo:

vencido quedase a discreción del vencedor. Pero la suerte lo ordenó de otra manera, porque don Quijote me venció. Yo me volví vencido a mi pueblo y él prosiguió su camino. No por esto se me quitó el deseo de volver a buscarle y volver a retarle con la esperanza de vencerlo esta vez. Y como él es tan cuidadoso en guardar las reglas de la caballería andante, no tengo dudas de que cumplirá su palabra. Así volverá al pueblo y a su casa, donde podrá ser curado.

Don Quijote estuvo seis días en cama, triste y maltrecho, yendo y viniendo en su imaginación el desafortunado episodio de su derrota.

Sancho lo consolaba, diciéndole entre otras cosas:

—Bien sé, señor, a qué viene. Desea saber quién soy, y como no tengo por qué ocultarlo, se lo diré. Soy el bachiller Sansón Carrasco, paisano de don Quijote. Su locura hace que le tengamos lástima cuantos le conocemos, especialmente yo. Creyendo que está su salud en su reposo y en que se esté en su tierra y en su casa, discurrí cómo hacerle estar en ella, y así hará tres meses que le salí al camino como caballero andante, llamándome el Caballero de los Espejos, con intención de pelear con él y vencerle, sin hacerle daño, y poniendo por condición de nuestra pelea que el

179

—Señor: levante la cabeza y alégrese, si
puede, de que no salió con alguna costilla rota.
Tornemos a casa y dejemos de andar buscando
aventuras por tierras desconocidas. Y bien mirado, yo
soy aquí quien más pierde, aunque sea vuestra merced
el más dolorido.

—Calla, Sancho —dijo don Quijote—, pues mi
retirada no pasará de un año. Luego volveremos a
nuestras honradas ocupaciones caballerescas.

Llegó, al fin, el día de la partida. Iba don Quijote adelante,
desarmado y pensativo, hecho una lástima, y detrás Sancho Panza, a
pie, ya que su asno iba cargado con las armas del vencido caballero.

Enfermedad, testamento y muerte de Don Quijote

COMO LAS COSAS humanas no son eternas, encuentran siempre su fin, especialmente las vidas de los hombres, y como la de don Quijote no tenía privilegio del cielo para detener el curso de la suya, llegó su fin cuando él menos lo pensaba.

Ya fuese por la melancolía que le causaba el verse vencido, o por disposición del cielo, se le arraigó una fiebre que le tuvo seis días en la cama, en los cuales fue visitado muchas veces por el cura, el bachiller y el barbero, sus amigos, sin quitársele de la cabecera Sancho, su siempre fiel escudero.

Juzgando que lo tenía así la pena de verse derrotado y el no ver cumplido el desencanto de su Dulcinea, sus amigos procuraban alegrarlo y hacerle promesas de futuras aventuras. Don Quijote no dejaba su tristeza.

Llamaron entonces al médico, que le tomó el pulso, después de lo cual no mostró optimismo. Dijo el galeno que, por sí o por no, atendiese a la salud de su alma, porque la del cuerpo corría peligro. Lo oyó don Quijote con ánimo sosegado; pero no así su ama, su sobrina y su escudero, quienes comenzaron a llorar tiernamente. Don Quijote rogó que le dejasen solo, porque quería dormir un poco. Lo hicieron así, y durmió de un tirón más de seis horas; tanto, que pensaron el ama y la sobrina que se había de quedar en el sueño. Despertó al cabo del tiempo dicho, y dando una gran voz dijo:

—¡Bendito sea el poderoso Dios, que tanto bien me ha hecho! Sus misericordias no tienen límite, ni las abrevian ni impiden los pecados de los hombres.

—¿Qué dice mi tío? —dijo la sobrina—. ¿Qué misericordias son ésas, o qué pecados de los hombres?

—Las misericordias —respondió don Quijote—, sobrina, son las que en este instante ha usado Dios conmigo, a quien, como dije, no las impiden mis pecados. Yo tengo juicio ya, libre y claro, sin las sombras de la ignorancia que sobre él me pusieron mi amarga y continua lectura de los detestables libros de caballerías. Ya conozco sus disparates y sus embelecos y no me pesa sino que este desengaño haya llegado tarde. Yo me siento, sobrina, cercano a la muerte. Llámame a mis buenos amigos: al cura, a Sansón Carrasco y al barbero Nicolás, que quiero confesarme y hacer mi testamento.

Pero no tuvo que llamarlos su sobrina, porque entraron los tres.

—Felicitadme, señores, de que ya no soy don Quijote de La Mancha, sino Alonso Quijano, a quien mis costumbres le dieron el renombre de «el Bueno». Ya me son odiosas todas las historias profanas de la andante caballería; ya conozco mi necedad y el peligro en que me pusieron haberlas leído. Yo, señores, siento que me voy muriendo a toda prisa. Tráiganme un confesor y un escribano que haga mi testamento. Y así, en tanto que el señor cura me confiesa, vayan por el escribano.

Hizo salir el cura a la gente, se quedó solo con él y le confesó.

El bachiller regresó con el escribano y con Sancho, quien viendo a la sobrina y al ama llorando, se puso a hacer pucheros y a derramar lágrimas. Acabóse la confesión, y salió el cura, diciendo:

—Verdaderamente se muere, y realmente está cuerdo Alonso Quijano el Bueno. Bien podemos entrar para que haga su testamento.

Después de haber hecho el escribano la cabeza del testamento y ordenado su alma don Quijote, con todas aquellas circunstancias cristianas que se requieren, llegando a las «mandas», dijo:

—Es mi voluntad que de ciertos dineros que Sancho Panza, a quien en mi locura hice mi escudero, tiene, no se le pida cuenta alguna. Si quedara algo después de haberse pagado lo que le debo, el resto sea suyo, que será bien poco y le haga buen provecho. Y si como estando loco quise darle el gobierno de una isla, pudiera ahora, estando cuerdo, darle el de un reino, gustoso se lo daría, porque la sencillez de su condición y fidelidad de su trato lo merecen.

Y volviendo a Sancho, le dijo:

—Perdóname, amigo, de la ocasión que te he dado para parecer loco como yo, haciéndote caer en el error en que yo he caído.

—¡Ay! —respondió Sancho llorando—. No se muera vuesa merced, sino tome mi consejo y viva muchos años. Porque la mayor locura que puede hacer un hombre en esta vida es dejarse morir, sin más ni más.

Mire, no sea perezoso y levántese de esa cama y vámonos al campo vestidos de pastores, como tenemos convenido. Quizá tras alguna mata hallemos a la señora Dulcinea desencantada. Si es que se muere de pesar al verse vencido, écheme a mí la culpa, diciendo que le derribaron por no haber cinchado bien a Rocinante.

—Así es —dijo Sansón—, el buen Sancho Panza está en lo cierto.

—Señores —dijo don Quijote—, vámonos poco a poco, pues ya en los nidos de antaño no hay pájaros hogaño. Yo fui loco, y ya soy cuerdo. Puedan mi arrepentimiento y mi verdad volverme a la estimación que de mí se tenía, y prosiga adelante, señor escribano. Dejo mi hacienda, a puerta cerrada, a Antonia Quijano, mi sobrina, que está presente, debiendo sacar de ella primero para cumplir lo que mando; y la primera satisfacción que se haga quiero que sea pagar el salario que debo del tiempo que mi

ama me ha servido, y más veinte ducados para un vestido. Dejo como testigos encargados de cumplir mi testamento al señor cura y al señor bachiller Sansón Carrasco, aquí presentes. Es mi voluntad que si Antonia Quijano, mi sobrina, quisiera casarse, se case con un hombre que no sepa qué cosas sean libros de caballerías. Y si lo sabe y con todo mi sobrina quiere casarse con él, que pierda todo lo que le he dejado, y que se distribuya en obras piadosas. Suplico a mis testigos que si la suerte les lleva a conocer al autor que dicen escribió una historia que anda por ahí con el título de *Las hazañas del Ingenioso Hidalgo don Quijote de La Mancha*, le pidan de mi parte que me perdone la ocasión que le di para haber escrito tantos y tan grandes disparates.

Cerró con esto el testamento y, dándole un desmayo, se tendió en la cama. Se alborotaron todos y acudieron a atenderlo con toda diligencia.

Y en tres días que vivió se desmayaba muy a menudo. La casa andaba alborotada; pero, con todo, comía la sobrina, brindaba el ama y se regocijaba Sancho, que esto de heredar algo, borra o atempera en el heredero la memoria de la pena.

Llegó, en fin, el último momento de don Quijote, el cual, entre lágrimas y pesar de los presentes, dio su espíritu a Dios.

Así murió don Quijote de la Mancha, cuyo lugar no quiso poner el autor de la historia de sus hazañas por dejar que todas las villas y lugares de La Mancha se disputasen entre sí el honor de tenérsele por suyo.

SANSÓN CARRASCO COMPUSO ESTE EPITAFIO:

Yace aquí el hidalgo fuerte
que a tanto extremo llegó
de valiente, que se advierte
que la muerte no triunfó
de su vida con su muerte.

Tuvo a todo el mundo en poco;
fue el espantajo y el coco
del mundo, en tal conyuntura,
que acreditó su ventura,
morir cuerdo y vivir loco.